MATEMÁTICA... ¿ESTÁS AHÍ?
Sobre números, personajes, problemas y curiosidades

por

ADRIÁN PAENZA
Facultad de Ciencias Exactas y Naturales
Universidad de Buenos Aires

Colección "Ciencia que ladra..."
Dirigida por DIEGO GOLOMBEK

Universidad
Nacional
de Quilmes

Siglo
veintiuno
editores
Argentina

Siglo veintiuno editores Argentina s.a.
TUCUMÁN 1621 7° N (C1050AAG), BUENOS AIRES, REPÚBLICA ARGENTINA

Siglo veintiuno editores, s.a. de c.v.
CERRO DEL AGUA 248, DELEGACIÓN COYOACÁN, 04310, MÉXICO, D. F.

Siglo veintiuno de España editores, s.a.
PRÍNCIPE DE VERGARA 78, 2° (28006) MADRID

Universidad
Nacional
de Quilmes
Editorial

R. Sáenz Peña 180, (B1876BXD) Bernal,
Pcia. de Buenos Aires, República Argentina

Paenza, Adrián
    Matemática... ¿estás ahí? Sobre números, personajes, problemas y curiosi-
dades - 1a ed., 7a reimp. - Buenos Aires : Siglo XXI Editores Argentina, 2006.
240 p. ; 19x14 cm. (Ciencia que ladra... dirigida por Diego Golombek)

ISBN 987-1220-19-7

1. Matemática-Enseñaza I. Título
CDD 510.7.

Portada de Mariana Nemitz

ISBN: 987-1220-19-7

Impreso en Artes Gráficas Delsur
Alte. Solier 2450, Avellaneda,
en el mes de febrero de 2006

Hecho el depósito que marca la ley 11.723
Impreso en Argentina – Made in Argentina

Hay libros que duran un día, y son buenos. Hay otros que duran un año, y son mejores. Hay los que duran muchos años, y son muy buenos. Pero hay los que duran toda la vida: esos son los imprescindibles. Y este libro es uno de los que duran toda la vida: un cofre del tesoro que, al abrirse, nos inunda de preguntas y enigmas, de números que de tan grandes son infinitos (y distintos infinitos), de personajes que uno querría tener enfrente en una charla de amigos.

Adrián Paenza no sólo se pregunta por qué la matemática tiene mala prensa: se preocupa muy especialmente por acercarnos a esta búsqueda de patrones y regularidades y logra contagiarnos su entusiasmo a toda prueba. Preguntón como pocos, Paenza nos envuelve en un universo en el que reina la ciencia, pero donde no quedan afuera los amigos, los enigmas, la educación y las anécdotas de una vida dedicada a contar y enseñar.

Algunos de estos cuentos forman parte de las historias que el autor nos regala en el ciclo *Científicos Industria Argentina*, posiblemente la sección más esperada por el público, que semana a semana se esmera en resolver problemas de sombreros, ruletas o cumpleaños. Pero todas las historias son parte de un universo amplio y generoso que gracias a este libro incorporará nuevos habitantes: el universo de Adrián Paenza.

El libro nos lleva por estos nuevos paisajes a través de numerosos ejemplos con diverso grado de dificultad. Así, hay curiosidades que podrán ser leídas con el mayor deleite y comodidad y también otros capítulos que desafían al lector a razonamientos audaces y demostraciones que a veces se les presentan a los mismísimos estudiantes de ciencias (algunas de las secciones incluyen temas de las mismas materias que Paenza dicta en la Facultad de Ciencias Exactas y Naturales de la UBA). Entonces, mientras nos maravillamos con las aventuras de Paenza en el país de las matemáticas, podremos también, como lectores, jugar a ser estudiantes de ciencias frente a la pizarra de Álgebra o de Análisis Matemático.

Matemática... ¿Estás ahí? Tal vez se esté "poniendo las preguntas", pero lo que es seguro es que sí, está a la vuelta de la esquina, en nuestra vida cotidiana y esperando a que la descubramos. He aquí una inmejorable guía para lanzarnos a explorar.

Esta colección de divulgación científica está escrita por científicos que creen que ya es hora de asomar la cabeza por fuera del laboratorio y contar las maravillas, grandezas y miserias de la profesión. Porque de eso se trata: de contar, de compartir un saber que, si sigue encerrado, puede volverse inútil.

Ciencia que ladra... no muerde, sólo da señales de que cabalga.

Diego Golombek

Dedico este libro a mis padres, Ernesto y Fruma,
a quienes les debo todo.
A mi querida hermana Laura.
A mis sobrinos: Lorena, Alejandro, Máximo, Paula, Ignacio,
Brenda, Miguelito, Sabina, Viviana, Soledad, María José, Valentín,
Gabriel, Max, Jason, Whitney, Amanda
Jonathan, Meagan y Chad.
A Carlos Griguol.
Y a la memoria de mis tías Elena, Miriam y Delia,
así como a las de Guido Peskin, León Najnudel, Manny Kreiter
y Noemí Cuño.

Agradecimientos

A Diego Golombek: sin él, no habría libro.

A Claudio Martínez: porque fue el primero que insistió para que contara estas historias por televisión y me estimuló para que lo hiciera.

A mis alumnos: de ellos aprendí a enseñar y entendí lo que era aprender. A mis amigos, porque sí, porque son mis amigos, me quieren y eso es lo único que me importa.

A Carmen Sessa, Alicia Dickenstein, Miguel Herrera, Baldomero Rubio Segovia, Eduardo Dubuc, Carlos D'Andrea, Cristian Czubara, Enzo Gentile, Ángel Larotonda y Luis Santaló.

A quienes leyeron el manuscrito (bueno, no tan manuscrito) y lo atacaron tratando de salvarlo pero no sé si lo lograron: Gerardo Garbulsky, Alicia Dickenstein y Carlos D'Andrea.

A Marcelo Bielsa, Alberto Kornblihtt, Víctor Hugo Morales y Horacio Verbitsky, por su postura ética en la vida. Gracias a ellos soy una mejor persona.

Acerca del autor

Adrián Paenza   cql@sigloxxieditores.com.ar

Nació en Buenos Aires en 1949. Es doctor en Matemáticas de la Universidad de Buenos Aires, en donde se desempeña como Profesor Asociado del Departamento de Matemática de la Facultad de Ciencias Exactas y Naturales. Es, además, periodista. En la actualidad, conduce el ciclo televisivo *Científicos Industria Argentina*. Trabajó en las radios más importantes del país y en los cinco canales de aire de la Argentina. Fue redactor especial de varias revistas y colabora con tres diarios nacionales: *Clarín*, *Página/12* y *La Nación*.

Los *grandes* hombres hablan sobre *ideas,*
los hombres *promedio* hablan sobre *cosas,*
y los hombres *pequeños*
hablan sobre… *otros hombres.*[1]

---

[1] Ésta es una frase que vi hace muchos años en el paragolpes trasero de un automóvil en Estados Unidos: "Great people talk about *ideas*, average people talk about *things,* small people talk… *about other people".*

Índice

La mano de la princesa 13

Números 17

Números grandes. Más sobre números grandes. Átomos en el universo. Qué es un año luz. Números interesantes. Cómo conseguir un contrato como consultor usando un poco de matemática. Hotel de Hilbert. Repitan conmigo: ¡no se puede dividir por cero! $1 = 2$. El problema $3x + 1$. ¿Cuántas veces se puede doblar un papel? ¿Qué es más? ¿El 37% de 78 o el 78% de 37? Cartas binarias. La raíz cuadrada de dos es irracional. Suma de cinco números. ¿Un atentado contra el teorema fundamental de la aritmética? Hay *infinitos* números primos. Primos gemelos. Lagunas de primos. El número *e*. Distintos tipos de infinitos. Dos segmentos de distinta longitud, ¿tienen el mismo número de puntos? Un punto en un segmento. Suma de las inversas de las potencias de 2 (suma infinita).

Personajes 93

Por qué uno no entiende algo. Conversación entre Einstein y Poincaré. Fleming y Churchill. Los matemáticos hacemos razonamientos, no números. Paradojas de Bertrand Russell. Biografía de Pitágoras. Carl Friedrich Gauss. Conjetura de Goldbach. Historia de Srinivasa Ramanujan. Los modelos matemáticos de Oscar Bruno. Respuesta de Alan Turing.

Probabilidades y estimaciones **123**

Un poco de combinatoria y probabilidades. Encuesta con pregunta prohibida. Cómo estimar el número de peces en el agua. El problema del palomar o *Pigeon Hole*. Afinadores de piano (en Boston). Aldea global. Patentes de los autos. ¿Cuánta sangre hay en el mundo? ¿Cuántas personas tiene que haber en una pieza para saber que la probabilidad de que dos cumplan años el mismo día sea mayor que un medio? Moneda cargada.

Problemas **153**

Pensamiento lateral. Problema de los tres interruptores. 128 participantes en un torneo de tenis. Problema de las tres personas en un bar y pagan con 30 pesos una cuenta de 25. Antepasados comunes. Problema de Monty Hall. Sentido Común (bocas de tormenta). El acertijo de Einstein. Problema de las velas. Sombreros (parte 1). Sombreros (parte 2). Sobre cómo mejorar una estrategia. Mensaje interplanetario. ¿Qué número falta? Acertijo sobre cuántas veces le gustaría a una persona comer fuera de su casa.

Reflexiones y curiosidades **171**

Lógica cotidiana. Diferencia entre un matemático y un biólogo. El problema de los Cuatro Colores. Santa Claus. Cómo construir un ángulo recto. Alfabetos del siglo XXI. Cirujanos y maestros del siglo XXI. Sobre monos y bananas. ¿Qué es la matemática? Universidad de Cambridge. Teclado *qwerty*. La excepción que confirma la regla. Preguntas que le hacen a un matemático. Votaciones. Jura ética. Cómo tomar un examen. Niños prodigio. Historia de los cinco minutos y los cinco años. ¿Por qué escribí este libro?

Soluciones **211**
Apéndice **231**

La mano de la princesa

Cada vez que tengo que dar una charla de matemática para público no matemático, elijo una forma de empezar. Y es siempre la misma. Pido permiso, y leo un texto que escribió Pablo Amster, el excelente matemático, músico, experto en kabbalah y, además, una extraordinaria persona.

Esta historia la utilizó Pablo en un curso de matemática que dio para un grupo de estudiantes de Bellas Artes en la Capital Federal. Se trata de un texto maravilloso que quiero (con la anuencia de él) compartir con ustedes.

Aquí va. El título es: "La mano de la princesa".

Una conocida serie checa de dibujos animados cuenta, en sucesivos capítulos, la historia de una princesa cuya mano es disputada por un gran número de pretendientes.

Éstos deben convencerla: distintos episodios muestran los intentos de seducción que despliega cada uno de ellos, de los más variados e imaginativos.

Así, empleando diferentes recursos, algunos más sencillos y otros verdaderamente magníficos, uno tras otro pasan los pretendientes pero nadie logra conmover, siquiera un poco, a la princesa.

Recuerdo por ejemplo a uno de ellos mostrando una lluvia de luces y estrellas; a otro, efectuando un majestuoso vuelo y lle-

nando el espacio con sus movimientos. Nada. Al fin de cada capítulo aparece el rostro de la princesa, el cual nunca deja ver gesto alguno.

El episodio que cierra la serie nos proporciona el impensado final: en contraste con las maravillas ofrecidas por sus antecesores, el último de los pretendientes extrae con humildad de su capa un par de anteojos, que da a probar a la princesa: ésta se los pone, sonríe y le brinda su mano.

***

La historia, más allá de las posibles interpretaciones, es muy atractiva, y cada episodio por separado resulta de una gran belleza. Sin embargo, sólo la resolución final nos da la sensación de que todo cierra adecuadamente.

En efecto: hay un interesante manejo de la tensión, que nos hace pensar, en cierto punto, que nada conformará a la princesa.

Con el paso de los episodios y por consiguiente, el agotamiento cada vez mayor de los artilugios de seducción, nos enojamos con esta princesa insaciable. ¿Qué cosa tan extraordinaria es la que está esperando? Hasta que, de pronto, aparece el dato que desconocíamos: la princesa no se emocionaba ante las maravillas ofrecidas, pues no podía verlas.

Así que ése era el problema. Claro. Si el cuento mencionara este hecho un poco antes, el final no nos sorprendería. Podríamos admirar igualmente la belleza de las imágenes, pero encontraríamos algo tontos a estos galanes y sus múltiples intentos de seducción, ya que nosotros sabríamos que la princesa es miope.

No lo sabemos: nuestra idea es que la falla está en los pretendientes, que ofrecen, al parecer, demasiado poco. Lo que hace el último, ya enterado del fracaso de los otros, es cambiar el enfoque del asunto. Mirar al problema de otra manera.

De no saber ya ustedes [Pablo se refiere aquí a los estudiantes de Bellas Artes que eran sus interlocutores] *de qué trata es-*

te curso, quizás se sorprenderían ahora como se sorprendieron con el final de la historia anterior: vamos a hablar (o estamos hablando) de matemática.

En efecto, hablar de matemática no es solamente demostrar el teorema de Pitágoras: es, además, hablar del amor y contar historias de princesas. También en la matemática hay belleza. Como dijo el poeta Fernando Pessoa: "El binomio de Newton es tan hermoso como la Venus de Milo; lo que pasa es que muy poca gente se da cuenta".

Muy poca gente se da cuenta... Por eso el cuento de la princesa; porque el problema, como adivina el último de los pretendientes, es que "Lo más interesante que hay en este país, no se lo ve" (Henri Michaux, "El país de la magia").

Muchas veces me sentí en el lugar de los primeros galanes. Así, siempre me esforcé por exponer las cuestiones matemáticas más bellas, pero la mayoría de las veces, debo reconocerlo, mis apasionados intentos no tuvieron la respuesta esperada.

Trato esta vez de acercarme al galán humilde del último capítulo. De la matemática, según Whitehead "la creación más original del ingenio humano", hay bastante para decir. Por eso este curso. Sólo que hoy prefiero también yo mirar las cosas de esa otra manera, y empezar contando un cuento...

Esta presentación de Pablo Amster apunta directamente al corazón de este libro. La idea es poder recorrer varias historias, pensar libremente, imaginar con osadía y parar cuando uno llega a algo que lo entusiasma. Pero buscar esos puntos. No sólo esperar que lleguen. Estas líneas tienen ese propósito: entusiasmarlos, conmoverlos, enamorarlos, sea con la matemática o con una historia que no conocían. Espero lograrlo.

Números

Números grandes

¿Números grandes? Sí. Grandes. Difíciles de imaginar. Uno escucha que las deudas externas se manejan en miles de millones de dólares, que las estrellas en el cielo están a años luz de la Tierra, que la molécula de ADN contiene tres mil millones de nucleótidos, que la superficie del sol tiene una temperatura de seis mil grados centígrados, etcétera. Estoy seguro de que cada uno que esté leyendo este párrafo tiene sus propios ejemplos para agregar.

Lo que yo hago frente a estas magnitudes es compararlas, contrastarlas con algo que me sea más fácil representar.

En el mundo hay más de seis mil quinientos millones de personas. En realidad ya somos (en agosto de 2005) más de seis mil trescientos millones. Parece mucho. Pero ¿qué es mucho? Veamos. ¿Qué diferencia hay entre un millón y mil millones? (aparte de que el último tiene tres ceros más). Para ponerlo en perspectiva, transformémoslos en segundos. Por ejemplo, supongamos que en un pueblo en donde el tiempo sólo se mide en segundos, una persona está acusada de haber cometido un delito. Se enfrentan el fiscal y el abogado defensor delante del juez que interviene en la causa. El fiscal pide "mil millones de segundos para el reo". El defensor lo tilda de "loco" y sólo está dispuesto a aceptar "un millón de segundos, y sólo como un hecho simbólico". El juez, acostumbrado a medir el tiempo de esa forma, sabe que la diferencia es abismal. ¿Entienden las razones?

Piénsenlo así: un millón de segundos son aproximadamente once días y medio. En cambio, mil millones de segundos significan casi... ¡32 años!

Este ejemplo muestra que, en general, nosotros no tenemos idea de lo que representan los números, aun en nuestra vida cotidiana. Volvamos al tema de los habitantes de la Tierra. Si somos seis mil millones, y pusieran fotos de todos en un libro, de manera que las hojas fueran de una décima de milímetro de espesor, colocando diez personas por página y utilizando las dos caras de la hoja... el libro tendría, ¡30 kilómetros de alto! Además, si una persona estuviera muy ávida por mirar fotos, y tardara un segundo por página para recorrer las diez que hay allí, y le dedicara 16 horas diarias, le llevaría 28 años y medio mirarlas todas. Con todo, cuando llegara al final, en el año 2033, el libro ya habría aumentado de tamaño, porque ya seríamos dos mil millones de personas más, y el libro tendría otros diez kilómetros más de espesor.

Pensemos ahora cuánto lugar nos haría falta para poder ponernos a todos juntos. El estado de Texas (el de mayor superficie en los Estados Unidos, exceptuando Alaska) podría albergar a toda la población mundial. Sí. Texas tiene una superficie habitable de aproximadamente 420.000 kilómetros cuadrados. Luego, nosotros, los humanos, podríamos juntarnos en Texas y tener cada uno una parcela de 70 metros cuadrados para vivir. ¿No está mal, no?

Ahora pongámonos en fila, ocupando cada persona una baldosa de 30 centímetros cuadrados. En este caso la humanidad entera formaría una cola de más de 1.680.000 kilómetros. Eso nos permitiría dar 42 veces la vuelta al globo por el Ecuador.

¿Qué pasaría si todos nos quisiéramos transformar en artistas de cine y filmáramos una película con nosotros como estrellas? Si cada persona apareciera nada más que 15 segundos (o sea, un poco menos de siete metros de celuloide por humano), se necesitarían unos ¡40 millones de kilómetros de negativo! Además, si alguien quisiera verla, se tendría que sentar en el cine por 23.333.333 horas, o sea 972.222 días, lo que significan unos 2.663 años. Y esto sucedería siempre que decidamos no dormir, comer ni hacer ninguna otra cosa en la vida. Sugiero que nos distribuyamos para verla y después nos encontremos para contarnos lo mejor.

Más sobre números grandes: peso de un tablero de ajedrez

Otro ejemplo más para este boletín. Hay uno muy conocido por toda persona que quiere ejemplificar el crecimiento exponencial y maravillar a sus interlocutores advirtiendo cómo los números crecen en forma... bueno, justamente, en forma *exponencial*.

El caso típico es el de los granitos de arroz con los que el Rey de un condado quería premiar a un súbdito que le había hecho un favor y le había salvado la vida. Cuando éste le dice que lo único que quiere es que ponga en un tablero de ajedrez un granito de arroz en el primer cuadrado, dos en el segundo, cuatro en el tercero, ocho en el cuarto, dieciséis en el quinto, treinta y dos en el sexto, y así, duplicando cada vez hasta recorrer todos los cuadraditos del tablero, el Rey descubre que no alcanzan los granitos de arroz de todo su reino (ni los de todos los reinos de los alrededores) para poder satisfacer la demanda de su "salvador".

Vamos a actualizar un poco el ejemplo. Supongamos que en lugar de granitos de arroz ponemos pepitas de oro, de un gramo cada una. Obviamente, si el Rey se había tropezado con una dificultad terminal en el caso de los granitos de arroz, mucho peor le iría con las pepitas de oro. Pero la pregunta que quiero hacer es otra: si el Rey hubiera podido satisfacer lo que le pedían, ¿cuánto pesaría el tablero de ajedrez? Es decir, suponiendo que se pudiera poner en el tablero la cantidad de pepitas de oro que el súbdito le había indicado, ¿cómo levantarían el tablero? Y, además, si pudiera ir poniéndose en el bolsillo una pepita por segundo, ¿cuánto tardaría?

Como hay 64 cuadraditos en el tablero de ajedrez, se tendrían ¡un trillón de pepitas de oro! Seguro que aquí los números vuelven a ser confusos, porque uno no tiene la más vaga idea de lo que significa "un trillón" de ningún objeto. Comparémoslo entonces con algo que nos sea más familiar. Si como dijimos antes, cada una de las pepitas pesa sólo un gramo, la pregunta es: *¿cuánto es un trillón de gramos?*

Esto representa un billón de toneladas. Igual es un problema, porque ¿quién tuvo alguna vez "un billón de algo"? Este peso sería equivalente a tener ¡cuatro mil millones de Boeing 777 con 440 pasajeros a bordo, su tripulación y combustible para viajar 20 horas! Y aun así, si bien avanzamos un poco, uno podría preguntarse cuánto es *cuatro mil millones de algo*.

¿Y cuánto tiempo tardaría uno en ponerse las pepitas de oro en el bolsillo, si uno pudiera hacerlo a una velocidad *súper rápida* de una pepita por segundo? Tardaría, nuevamente, ¡un trillón de segundos! Pero ¿cuánto es un trillón de segundos? ¿Cómo medirlo con algo que nos resulte familiar? Por ejemplo, basta pensar que nos llevaría más de cien mil millones de años. No sé ustedes, pero yo tengo previsto hacer otras cosas con mi tiempo.

Átomos en el universo

Sólo como una curiosidad y a efectos de mostrar *otro número enorme,* piensen que en el universo se estima que hay 2^{300} átomos. Si 2^{10} es aproximadamente 10^3, entonces, 2^{300} es aproximadamente 10^{90}. Y escribí todo esto para poder decir entonces que en el Universo hay tantos átomos como poner el número *uno* seguido de *noventa ceros*.

¿Qué es un año luz?

Un año luz es una medida de distancia y no de tiempo. Mide la distancia que la luz tarda un año en recorrer. Para poner en perspectiva esto, digamos que la velocidad de la luz es de 300.000 kilómetros por segundo. El resultado de multiplicar este número por 60 (para transformarlo en minutos) es 18.000.000 km por *minuto*. Luego, nuevamente multiplicado por 60, lo transforma en 1.080.000.000 kilómetros *por hora* (mil ochenta millones de kilómetros por hora). Multiplicado por 24 resulta que la luz viajó 25.920.000.000 (25 mil millones de kilómetros *en un día*).

Finalmente, multiplicado por 365 días, un año luz (o sea, la distancia que la luz viaja por año) es de (aproximadamente) 9.460.000.000.000 (casi nueve *billones y medio*) de kilómetros.

De manera tal que cada vez que les pregunten cuánto es un año luz, ustedes, convencidos, digan que es una manera de medir una distancia (grande, pero distancia al fin) y que es de casi nueve billones y medio de kilómetros. Es lejos, vean.

Números interesantes

Voy a probar ahora que *todos los números naturales son números "interesantes"*. Claro, la primera pregunta que surge es: ¿qué quiere decir que un número sea *interesante*? Vamos a decir que un número lo es cuando tiene algún atractivo, algo que lo distinga, algo que merezca destacarlo de los otros, que tenga algún borde o alguna particularidad. Creo que todos entendemos ahora lo que quiero decir con *interesante*. Ahora, la demostración.

El número uno es interesante porque es el primero de todos. Lo distingue entonces el hecho de ser el más chico de todos los números naturales.

El número dos es interesante por varias razones: es el primer número par, es el primer número primo.[2] Creo que con estos dos argumentos ya podemos distinguirlo.

El número tres también es interesante, porque es el primer número impar que es primo (por elegir una razón de las muchas que habría).

El número cuatro es interesante porque es una *potencia de dos*.

El número cinco es interesante porque es un número primo. Y de aquí en adelante deberíamos ponernos de acuerdo en que cuando un número es primo, ya tiene una característica fuerte que lo distingue y lo podríamos considerar *interesante sin buscar otros argumentos*.

Sigamos un poco más.

El número seis es interesante porque es el primer número compuesto (o sea, *no es un número primo*) que *no sea una potencia de dos*. Recuerde que el primer número compuesto que apareció es el cuatro, pero es una potencia de dos.

El número siete es interesante, y no hace falta argumentar más porque es *primo*.

Y así podríamos seguir. Lo que quiero *probar con ustedes es que:*

"Dado un número entero positivo *cualquiera* siempre... siempre... hay algo que lo transforma en 'interesante' o 'atractivo' o 'distinguible'".

¿Cómo hacer para probar esto con todos los números, si son infinitos? Supongamos que no fuera así. Entonces, eso quiere decir que hay números que llamaremos *no interesantes*. A esos números los ponemos en una bolsa (y supondremos que esta bolsa no está vacía). Es decir, tenemos una bolsa llena de números *no interesantes*. Vamos a ver que esto nos lleva a una contradicción. Esa bolsa −como todos los números que contiene son

---

[2] Como se verá más adelante, los números primos son aquellos que sólo son divisibles por uno y por sí mismos.

números *naturales,* o sea, *enteros positivos–* tiene que tener un primer elemento. Es decir, un número que sea el menor de todos los que están en la bolsa.

Pero entonces, el supuesto primer número *no interesante* se transforma en *interesante.* El hecho que lo distingue es que sería *el primero de todos los números no interesantes,* una razón más que suficiente para declararlo *interesante.* ¿No les parece? El error, entonces, provino de haber pensado que había números *no interesantes.* No es así. Esa bolsa (la de los números *no interesantes*) no puede contener elementos, porque si los tiene, alguno tiene que ser el primero, con lo que pasaría a ser *interesante* un número que por estar en la bolsa debería ser *no interesante.*

MORALEJA: "Todo número natural ES interesante".

Cómo conseguir un contrato como consultor usando un poco de matemática

Uno puede hacerse pasar por adivino o por una persona muy entrenada en predecir el futuro o aventurar lo que va a pasar en la Bolsa de Valores: basta con aprovechar la rapidez con la que crecen las potencias de un número.

Éste es un ejemplo muy interesante. Supongamos que tenemos una base de datos de 128.000 personas. (Por las dudas, no crean que son tantas, ya que la mayoría de las grandes empresas las tienen, las compran o las averiguan). De todas formas, para lo que quiero invitarlos a pensar, podríamos empezar con un número más chico, e igualmente el efecto sería el mismo.

Supongamos que uno elige alguna acción o algún *commodity* cuyo precio cotice en la Bolsa. Digamos, para fijar las ideas, que uno elige el precio del oro. Supongamos también que ustedes se sientan frente a su computadora un domingo por la tarde. Buscan la base de datos que tienen y seleccionan las direcciones electrónicas de todas las personas que allí figuran. Entonces, a la mitad de ellas (64.000) les envían un mail diciéndoles que el precio del oro va a subir al día siguiente (lunes). Y a la otra mitad les envían un mail diciéndoles lo contrario: que el precio del oro va a bajar. (Por razones que quedarán más claras a medida que avance con el ejemplo, excluiremos los casos en los que el oro permanece con el precio constante en la apertura y el cierre.)

Cuando llega el lunes, al finalizar el día, el precio del oro o bien subió o bien bajó. Si subió, hay 64.000 personas que habrán recibido un mail de ustedes diciéndoles que subiría.

Claro, qué importancia tendría. Haber acertado un día lo que pasaría con el oro tiene poca relevancia. Pero sigamos con la idea: el lunes a la noche, de las 64.000 personas que habían recibido su primer mail diciéndoles que el precio del oro subiría, ustedes seleccionan la mitad (32.000) y les dicen que el martes volverá a subir. Y a la otra mitad, los otros 32.000, les envían un mail diciéndoles que va a bajar.

Llegado el martes por la noche, ustedes están seguros de que hay 32.000 para los cuales ustedes no sólo acertaron lo del martes, sino que ya habían acertado el lunes. Ahora repitan el proceso. Al dividir por la mitad, a 16.000 les dicen que va a subir y al resto, los otros 16.000, que va a bajar. Resultado, el miércoles ustedes tienen 16.000 personas a las que les avisaron el lunes, el martes y el miércoles lo que pasaría con el precio del oro. Y acertaron las tres veces (para este grupo).

Repítanlo una vez más. Al finalizar el jueves, ustedes tienen 8.000 para los que acertaron cuatro veces. Y el viernes por la noche, tienen 4.000. Piensen bien: el viernes por la noche, ustedes tienen 4.000 personas que los vieron acertar *todos los días* con lo que pasaría con el precio del oro, sin fallar nunca. Claro que el proceso podrían seguirlo a la semana siguiente, y podrían tener dos mil al siguiente lunes, mil al martes y, si queremos estirarlo aún más, el miércoles de la segunda semana, tendrán 500 personas a las que les fueron diciendo, día por día, *durante diez días,* lo que pasaría con el precio del oro.

Si alguno de ustedes pidiera a estas personas que lo contrataran como consultor pagándole, digamos, mil dólares por año (no lo quiero poner por mes, porque tengo cierto pudor aún)... ¿no creen que contratarían sus servicios? Recuerden que ustedes *acertaron siempre por diez días consecutivos.*

Con esta idea, empezando con una base de datos o bien más grande o más chica, o parando antes en el envío de correos electrónicos, ustedes se pueden fabricar su propio grupo de personas que crean en ustedes o que crean sus predicciones. Y ganar dinero en el intento.[3]

Hotel de Hilbert

Los conjuntos infinitos tienen siempre un costado atractivo: atentan contra la intuición. Supongamos que hubiera un número infinito de personas en el mundo. Y supongamos también que hay un hotel, en una ciudad, que contiene infinitas habitaciones. Estas habitaciones están numeradas, y a cada una le corresponde un número natural. Así entonces, la primera lleva el número 1, la segunda el 2, la tercera el 3, etcétera. Es decir: en la puerta de cada habitación hay una placa con un número, que sirve de identificación.

Ahora, supongamos que *todas* las habitaciones están ocupa-

---

[3] Excluí adrede el caso en que el precio del oro permanece igual en la apertura y en el cierre, porque para el ejemplo es irrelevante. Ustedes podrían decir en sus mensajes a algunos que el precio del oro subirá o permanecerá constante, y al otro grupo que bajará o permanecerá constante. Si el precio del oro queda quieto, repiten el proceso sin dividir por dos. Es como hacer de cuenta que ese día no existió. Y por otro lado, si ustedes pueden conseguir una base de datos más grande que 128.000, sigan adelante. Tendrán más clientes a los diez días.

das y sólo por una persona. En un momento determinado, llega al hotel un señor con cara de muy cansado. Es tarde en la noche y todo lo que este hombre espera es terminar rápido con el papelerío para irse a descansar. Cuando el empleado de la recepción le dice: "lamentablemente no tenemos ninguna habitación disponible ya que *todas* las habitaciones están ocupadas", el recién llegado no lo puede creer. Y le pregunta:

—Pero cómo... ¿No tienen ustedes *infinitas* habitaciones?

—Sí —responde el empleado del hotel.

—Entonces, ¿cómo me dice que no le quedan habitaciones disponibles?

—Y sí, señor. Están todas ocupadas.

—Vea. Lo que me está contestando no tiene sentido. Si usted no tiene la solución al problema, lo ayudo yo.

Y aquí conviene que ustedes piensen la respuesta. ¿Puede ser correcta la respuesta del conserje "no hay más lugar", si el hotel tiene infinitas habitaciones? ¿Se les ocurre alguna solución?

Aquí va:

—Vea —continuó el pasajero—. Llame al señor de la habitación que tiene el número 1 y dígale que pase a la que tiene el 2. A la persona que está en la habitación 2, que vaya a la del 3. A la del 3, que pase a la del 4. Y así siguiendo. De esta forma, toda persona seguirá teniendo una habitación, que "no compartirá" con nadie (tal como era antes), pero con la diferencia de que ahora quedará una habitación libre: la número 1.

El conserje lo miró incrédulo, pero comprendió lo que le decía el pasajero. Y el problema se solucionó.

Ahora bien, algunos problemas más:

a) Si en lugar de llegar un pasajero, llegan dos, ¿qué sucede? ¿Tiene solución el problema?

b) ¿Y si en lugar de dos, llegan cien?

c) ¿Cómo se puede resolver el problema si llegan n pasajeros inesperadamente durante la noche (donde n es un número cualquiera). ¿Siempre tiene solución el problema independientemente del número de personas que aparezcan buscando una pieza para dormir?

d) ¿Y si llegaran *infinitas* personas? ¿Qué pasaría en ese caso?

Las soluciones las pueden buscar en el apéndice.

Repitan conmigo: ¡no se puede dividir por cero!

Imaginen que entran en un negocio en donde toda la mercadería que se puede comprar cuesta mil pesos. Y ustedes entran justamente con esa cantidad: mil pesos. Si yo les preguntara: ¿cuántos artículos pueden comprar?, creo que la respuesta es obvia: uno solo. Si en cambio en el negocio todos los objetos valieran 500 pesos, entonces, con los mil pesos que trajeron podrían comprar, ahora, dos objetos.

Esperen. No crean que enloquecí (estaba loco de antes). Síganme en el razonamiento. Si ahora los objetos que vende el negocio costaran sólo un peso cada uno, ustedes podrían comprar, con los mil pesos, exactamente mil artículos.

Como se aprecia, a medida que disminuye el precio, aumenta la cantidad de objetos que ustedes pueden adquirir. Siguiendo con la misma idea, si ahora los artículos costaran diez centavos, ustedes podrían comprar... diez mil. Y si costaran un centavo, sus mil pesos alcanzarían para adquirir cien mil.

O sea, a medida que los artículos son cada vez más baratos, se pueden comprar más unidades. En todo caso, el número de unidades aumenta tanto como uno quiera, siempre y cuando uno logre que los productos sean cada vez de menor valor.

Ahora bien: ¿y si los objetos fueran gratuitos? Es decir: ¿y si no costaran nada? ¿cuántos se pueden llevar? Piensen un poco.

Se dan cuenta de que si los objetos que se venden en el negocio no costaran nada, tener o no tener mil pesos poco importa, porque ustedes se podrían llevar todo. Con esta idea en la cabeza es que uno podría decir que *no tiene sentido* "dividir" mil pesos entre "objetos que no cuestan nada". En algún sentido, los estoy invitando a que concluyan conmigo que lo que *no tiene sentido es dividir por cero*.

Más aun: si se observa la tendencia de lo que acabamos de hacer, pongamos en una lista la cantidad de artículos que podemos comprar, en función del precio.

Precio por artículo	Cantidad a comprar con mil pesos
$ 1.000	1
$ 500	2
$ 100	10
$ 10	100
$ 1	1.000
$ 0,1	10.000
$ 0,01	100.000

A medida que disminuye el precio, aumenta la cantidad de artículos que podemos comprar *siempre con los mil pesos originales*. Si siguiéramos disminuyendo el precio, la cantidad de la derecha seguiría aumentando... pero, si finalmente llegáramos a un punto en donde el valor por artículo es *cero*, entonces la cantidad que habría que poner en la columna de la derecha, sería... *infinito*. Dicho de otra manera, nos podríamos llevar todo.

MORALEJA: no se puede dividir por cero.

Repitan conmigo: ¡no se puede dividir por cero! ¡No se puede dividir por cero!

1 = 2

Supongamos que uno tiene dos números cualesquiera: a y b.
Supongamos, además, que

$$a = b$$

Síganme con este razonamiento. Si multiplico a ambos miembros por a, se tiene

$$a^2 = ab$$

Sumemos ahora $(a^2 - 2ab)$ en ambos miembros.
Resulta entonces la siguiente igualdad

$$a^2 + (a^2 - 2ab) = ab + (a^2 - 2ab)$$

O sea, agrupando:

$$2a^2 - 2ab = a^2 - ab$$

Sacando factor común en cada miembro,

$$2a\ (a\text{-}b) = a\ (a\text{-}b)$$

Luego, simplificando en ambos lados por (a-b) se tiene:

$$2a = a.$$

Ahora, simplificamos la a de ambos lados, y se tiene:

$$2 = 1$$

¿Dónde está el error? Es que tiene que haber alguno, ¿no?

Quizá ustedes ya se dieron cuenta. Quizá todavía no. Les sugiero que lean detenidamente cada paso y traten de descubrir solos *dónde está el error*.

La respuesta, de todas formas, está en la página de soluciones.

El problema 3x + 1

Les propongo un ejercicio para que hagamos juntos. Naturalmente, ni yo estoy aquí para acompañarlos ("aquí" significa donde están ustedes ahora leyendo este libro) ni ustedes están conmigo aquí ("aquí" es donde estoy yo, sentado frente a mi computadora escribiendo estas líneas). De todas formas, digresión aparte, síganme en este razonamiento.

Vamos a construir juntos una *sucesión* de números naturales (enteros positivos). La regla es la siguiente: empezamos por uno cualquiera. Digamos, a manera de ejemplo, que elegimos el número 7. Ése va a ser el primer elemento de nuestra sucesión.

Para generar el segundo elemento, hacemos lo siguiente: si el que elegimos primero es par, lo dividimos por dos. En cambio, si es impar, lo multiplicamos por 3 y le sumamos 1. En nuestro ejemplo, al haber elegido el 7, como *no es par*, tenemos que multiplicarlo por 3 y sumarle 1. Es decir, se obtiene el número 22, ya que 3 x 7 = 21 y sumando uno, queda 22.

Tenemos entonces los primeros dos elementos de *nuestra sucesión:* {7, 22}.

Para generar el tercer elemento de la sucesión, como el 22 es un número par, lo dividimos por dos, y obtenemos 11. Ahora tenemos {7, 22, 11}.

Como 11 es impar, la regla dice: "multiplíquelo por 3 y súmele 1". O sea, 34. Se tiene {7, 22, 11, 34}.

Luego, como 34 es par, el próximo elemento de la sucesión es 17. Y el siguiente es 52. Luego 26. Y después 13. Y sigue 40. Luego 20. (hasta acá tenemos {7, 22, 11, 34, 17, 52, 26, 13, 40, 20}) y seguimos dividiendo por dos los pares y multiplicando por 3 y sumando 1 a los impares:

{7, 22, 11, 34, 17, 52, 26, 13, 40, 20, 10, 5, 16, 8, 4, 2, 1}

Y en el número 1, paramos.

Los invito ahora a que elijamos cualquier otro número para empezar, digamos el 24. La sucesión que se tiene es:

{24, 12, 6, 3, 10, 5, 16, 8, 4, 2, 1}

Si ahora empezamos con el 100, se sigue:

{100, 50, 25, 76, 38, 19, 58, 29, 88, 44, 22, 11, 34, 17, 52, 26, 13, 40, 20, 10, 5, 16, 8, 4, 2, 1}

Como se alcanza a ver, *todas* las sucesiones que elegí terminan en el número 1.

En realidad, aunque no lo dije antes, al llegar al número 1 el proceso se detiene, porque si uno siguiera, entraría en un *lazo o círculo*, ya que del 1 pasaría al 4, del 4 al 2 y del 2 otra vez al 1. Por eso es que cuando al construir la sucesión llegamos al número 1, detenemos el proceso.

Hasta hoy, agosto de 2005, en *todos* los ejemplos conocidos siempre se termina la sucesión en el número 1. Pero *no se tiene ninguna demostración que pruebe* que el resultado es válido para *cualquier número con el que comencemos el ejercicio*.

Este problema se conoce con el nombre de "problema 3x + 1", o también como el "Problema de Collatz", o "Problema de Syracusa", o "Problema de Kakutani" o "Algoritmo de Hasse" o "Problema de Ulam". Como ven, tiene muchos nombres pero ninguna solución. Es una buena oportunidad para empezar. Con todo, permítanme intercalar algo aquí: es muy poco probable que una persona "lega" tenga las herramientas suficientes para resolverlo. Se estima que hay sólo veinte personas en el mundo capaces de "atacarlo". Pero como escribí en alguna otra parte de este mismo libro, eso no significa que alguno de ustedes, en algún lugar del planeta, por mayor o menor entrenamiento matemático que tengan, esté impedido para que se le ocurra una idea que nadie tuvo antes y el problema quede resuelto por una persona que no pertenezca a ese *privilegiado grupo de veinte*.

Este problema que acaban de leer se inscribe dentro de una larga lista que la matemática tiene sin resolver aún. Es fácil aceptar esto en otras ciencias. Por ejemplo, la medicina no sabe aún cómo resolver algunas variedades de cáncer o del Alzheimer, por poner un par de ejemplos. La física no tiene aún una "teoría" que integre lo *macro con lo micro*, ni conoce *todas las partículas elementales*. La biología no conoce aún cómo funcionan todos los genes ni cuántos son. En fin, estoy seguro de que usted puede agregar muchísimos ejemplos más. La matemática, decía, tiene *su propia lista*.

¿Cuántas veces se puede doblar un papel?

Supongamos que uno tuviera una hoja de papel bien finita, como las que se usan habitualmente para imprimir la Biblia. Es más, en algunas partes del mundo este papel se conoce como el "papel de Biblia". En realidad, parece un papel "de seda".

Para fijar las ideas, digamos que tiene un grosor de 1 milésima de centímetro.

O sea, 10^{-3} cm = 0,001 cm

Supongamos también que uno tiene una hoja grande de ese papel, como si fuera la hoja de un diario.

Ahora, empecemos a doblarlo por la mitad.

¿Cuántas veces creen ustedes que podrían doblarlo? Y tengo otra pregunta: si lo pudieran doblar y doblar tantas veces como quisieran, digamos unas *treinta veces*, ¿cuál creen que sería el grosor del papel que tendrían en la mano entonces?

Antes de seguir leyendo, les sugiero que piensen un rato la respuesta y sigan después (si les parece).

Volvamos al planteo entonces. Luego de doblarlo una vez, tendríamos un papel de un grosor de 2 milésimas de centímetro. Si lo dobláramos una vez más, sería de 4 milésimas de centímetro. Cada doblez que hacemos a la hoja, se *duplica* el grosor. Y si seguimos doblándolo una y otra vez (siempre por la mitad) tendríamos la siguiente situación, después de diez *dobleces:*

2^{10} (esto significa multiplicar el número 2 diez veces por sí mismo) = 1.024 milésimas de cm = 1 cm aproximadamente.

¿Qué dice esto? Que si uno doblara el papel 10 (diez) veces, obtendríamos un grosor de un poco más de un centímetro. Supongamos que seguimos doblando el papel, siempre por la mitad. ¿Qué pasaría entonces?

Si lo dobláramos 17 veces, tendríamos un grosor de $2^{17} = 131.072$ milésimas de cm = un poco más de un metro.

Si pudiéramos doblarlo 27 veces, se tendría:

$2^{27} = 134.217.728$ milésimas de cm, o sea un poco más de ¡1.342 metros! O sea, ¡casi un kilómetro y medio!

Vale la pena detenerse un instante: doblando un papel, aun tan finito como el papel de Biblia, sólo veintisiete veces, tendríamos un papel que casi alcanzaría el kilómetro y medio de espesor.

¿Qué es más?
¿El 37% de 78 o el 78% de 37?

En general una idea es más importante que una cuenta. Es decir, atacar un problema usando "la fuerza bruta", no siempre es aconsejable. Por ejemplo, en el caso de que a uno le preguntaran: qué número es mayor: ¿el 37% de 78 o el 78% de 37?

Claro, uno puede hacer el cálculo y averiguar el resultado, pero de lo que se trata es de poder decidirlo sin hacer cuentas. La idea reside en advertir que para calcular el 37% de 78, uno tiene que multiplicar 37 por 78 y luego dividir por 100. No hagan la cuenta. No hace falta.

De la misma forma, si uno quiere calcular el 78% de 37, lo que tiene que hacer es multiplicar 78 por 37 y luego dividir por 100.

Como se advierte, es la misma cuenta, ya que la multiplicación es *conmutativa*. Como usted escuchó decir muchas veces, *el orden de los factores no altera el producto.* Es decir, independientemente de cuál sea el resultado (que al final es 28,86), da lo mismo cualquiera de los dos. Es decir, los números son iguales.

Cartas binarias

Piensen en el siguiente hecho: no importa si ustedes hablan inglés, alemán, francés, portugués, danés, sueco... Si uno escribe

$$153 + 278 = 431$$

toda persona que viva en Inglaterra o Estados Unidos, o Alemania o Francia o Portugal o Brasil o Dinamarca (por poner algunos ejemplos de países en donde se hablen idiomas distintos), entienden.

Esto quiere decir: el lenguaje de los números es "más universal" que el de los diferentes idiomas. Lo trasciende. Es que nos hemos puesto de acuerdo (aun sin saberlo) en que los números son "sagrados". Bueno, no tanto, pero lo que quiero decir es que hay ciertas convenciones (los números obviamente *son* una convención) que trascienden los acuerdos que hicimos alguna vez para comunicarnos.

Europa tardó más de cuatrocientos años en adoptar la numeración arábiga (o sea, los números que usamos hoy) y cambiar lo que se usaba hasta entonces (los números romanos). El primero que los introdujo en Europa fue el famoso Fibonacci, hacia 1220. Fibonacci, cuyo padre italiano lo había llevado de niño al norte de África, entendió claramente la necesidad de usar otra numeración más apropiada. Pero si bien no quedaban dudas de las ventajas que la nueva numeración tendría, los mercaderes de la época se ocuparon de evitar el progreso que les impediría a ellos hacer trampa en las cuentas.

A propósito, los romanos *ignoraban* al cero. La dificultad para hacer cálculos se puede resumir en algo que escribió Juan Enríquez en *As the Future Catches You*: "trate de multiplicar 436 por 618 en números romanos, y después me cuenta".

Ahora bien. Cuando uno escribe el número

$$2.735.896$$

en realidad, está *abreviando* o *simplificando* la siguiente operación:

(a)   2.000.000 + 700.000 + 30.000 + 5.000 + 800 + 90 + 6.

Claro: uno no se da cuenta de que está haciendo esto (ni necesita hacerlo). Pero en realidad, la notación es un "acuerdo" que hacemos originalmente para "abreviar" todo lo que escribimos en la fila (a).

Puesto de otra manera, sería como escribir:

(b) $\mathbf{2}.10^6 + \mathbf{7}.10^5 + \mathbf{3}.10^4 + \mathbf{5}.10^3 + \mathbf{8}.10^2 + \mathbf{9}.10^1 + \mathbf{6}.10^0$,

con la convención de que el número $10^0 = 1$

Es lo que estudiábamos en la escuela primaria y que la maestra nos enseñaba como "las unidades de millón", las "centenas de mil", las "decenas de mil", las "unidades de mil", las "centenas", las "decenas" y las "unidades", así, a secas. Uno nunca más utilizó esa nomenclatura ni le hizo falta tampoco.

Lo curioso es que para poder escribir los números de la forma en la que los escribimos, necesitamos decir, por ejemplo, *cuántas* decenas de mil, *cuántas* unidades de mil, *cuántas* centenas, etcétera.

Para eso, necesitamos los números que en la ecuación (b), puse en letras "negritas" y con un tamaño un poco más grande.

Y esos números son los que llamamos *dígitos,* que como todo el mundo sabe, supongo, son diez:

0, 1, 2, 3, 4, 5, 6, 7, 8 y 9

Supongamos que ahora uno contara solamente con dos dígitos: 0 y 1.

¿Cómo hacer para poder escribir un número?

Si uno sigue la misma lógica que cuando tiene los *diez dígitos,* primero los usa a todos por separado. Es decir, usa: 0, 1, 2, 3, 4, 5, 6, 7, 8, 9.

Cuando llega hasta aquí, ya no los puede usar a los dígitos solos. Necesita combinarlos. Es decir, necesitamos usar ahora *dos de los dígitos.* Y empieza con el 10. Y sigue, 11, 12, 13, 14... 19... (aquí necesita empezar con el siguiente dígito), y usa el 20, 21, 22, 23... 29, 30... etcétera... hasta que llega al 97, 98, 99. En este punto, ya *agotó* todas las posibilidades de escribir números que tengan *dos dígitos.* Y sirvieron para enumerar los primeros *cien* (porque empezamos con el 0. Hasta el 99, hay justo 100).

¿Y ahora? Necesitamos usar *tres dígitos* (y que no empiecen con cero, porque si no, es como tener *dos dígitos* pero en forma encubierta). Entonces, empezamos con 100, 101, 102... etcétera. Después de llegar a los mil, necesitamos *cuatro dígitos.* Y así siguiendo. Es decir: cada vez que agotamos *todos los posibles números que podemos escribir con un dígito, pasamos a dos. Cuando agotamos los de dos, pasamos a los de tres. Y luego a los de cuatro. Y así siguiendo.*

Cuando uno tiene dos dígitos solamente, digamos el 0 y el 1, ¿cómo hacer? Usamos primero los dos dígitos por separado:

0 = 0
1 = 1

Ahora, necesitamos pasar al siguiente caso, o sea, cuando necesitamos usar *dos dígitos* (y curiosamente, necesitamos ya usar *dos dígitos* para escribir el número *dos):*

$$10 = 2$$
$$11 = 3$$

Aquí, ya agotamos las posibilidades con dos dígitos. Necesitamos usar más:

$$100 = 4$$
$$101 = 5$$
$$110 = 6$$
$$111 = 7$$

Y necesitamos uno más para seguir:

$$1\ 000 = 8$$
$$1\ 001 = 9$$
$$1\ 010 = 10$$
$$1\ 011 = 11$$
$$1\ 100 = 12$$
$$1\ 101 = 13$$
$$1\ 110 = 14$$
$$1\ 111 = 15$$

Escribo sólo un paso más:

$$10\ 000 = 16$$
$$10\ 001 = 17$$
$$10\ 010 = 18$$
$$10\ 011 = 19$$
$$10\ 100 = 20$$
$$10\ 101 = 21$$

$$10\ 110 = 22$$
$$10\ 111 = 23$$
$$11\ 000 = 24$$
$$11\ 001 = 25$$
$$11\ 010 = 26$$
$$11\ 011 = 27$$
$$11\ 100 = 28$$
$$11\ 101 = 29$$
$$11\ 110 = 30$$
$$11\ 111 = 31$$

Y aquí los dejo a ustedes solos. Pero lo que queda claro es que para poder llegar al 32, hace falta agregar un dígito más y usar el 100.000.

Lo notable es que *con sólo dos dígitos* es posible escribir cualquier número. Los números están ahora escritos *en potencias de 2*, de la misma forma en que antes estaban escritos *en potencias de 10*.

Veamos algunos ejemplos:

a) $111 = 1 \cdot 2^2 + 1 \cdot 2^1 + 1 \cdot 2^0 = 7$
b) $1\ 010 = 1 \cdot 2^3 + 0 \cdot 2^2 + 1 \cdot 2^1 + 0 \cdot 2^0 = 10$
c) $1\ 100 = 1 \cdot 2^3 + 1 \cdot 2^2 + 0 \cdot 2^1 + 0 \cdot 2^0 = 12$
d) $110\ 101 = 1 \cdot 2^5 + 1 \cdot 2^4 + 0 \cdot 2^3 + 1 \cdot 2^2 + 0 \cdot 2^1 + 1 \cdot 2^0 = 53$
e) $10\ 101\ 010 = 1 \cdot 2^7 + 0 \cdot 2^6 + 1 \cdot 2^5 + 0 \cdot 2^4 + 1 \cdot 2^3 + 0 \cdot 2^2 + 1 \cdot 2^1 + 0 \cdot 2^0 = 170$

(Un dato interesante es que todo número *par* termina en *cero*, y todo número *impar* termina en *uno*).

Creo que a esta altura está claro qué hace uno para "descubrir" de qué número se trata en la escritura "decimal", cuando uno lo tiene escrito en "forma binaria" (se llama binaria, porque se usan sólo dos dígitos: 0 y 1).

Lo que importa también es advertir que como uno usa "sólo" los dígitos 0 y 1 que multiplican a las potencias de dos, pueden pasar sólo dos cosas: o que esa potencia *esté* o que *no esté* involucrada en la escritura del número.

Por ejemplo, en la escritura del número 6 (110), las potencias que están involucradas son 2^2 y 2^1 ya que 2^0 que antecede a 2^1 dice que esa potencia no aparece.

Justamente, éste es el "secreto" que permite resolver el enigma de las "cartas binarias" que aparecen en el apéndice del libro. Es decir: uno le pide a una persona que elija un número cualquiera entre 0 y 255. Y le pide también que no se lo diga: que sólo lo piense. Le da entonces las cartas binarias que acompañan al libro. Y le dice: "¿en cuáles de estas cartas figura el número que elegiste?".

La persona va mirando en cada carta y selecciona lo que le pidieron. Por ejemplo, si eligió el número 170 entrega las cartas que en *el tope superior izquierdo* tienen los siguientes números: 128, 32, 8 y 2.

Si uno suma estos números, obtiene el número 170. Y lo consigue *sin que la persona le hubiera confiado el número*. ¡Es la forma de descubrirlo!

¿Por qué funciona el método? Porque la persona, al elegir las cartas en donde figura el número, le está diciendo a uno (sin que ellos sepan, claro) en dónde están *los unos* en la escritura binaria del número que eligieron.

Por eso, si la persona que eligió mentalmente el número 170, tuviera que escribir el número en notación binaria, habría escrito:

$$10\ 101\ 010$$

o lo que es lo mismo:

$$10\ 101\ 010 = 1 \cdot 2^7 + 0 \cdot 2^6 + 1 \cdot 2^5 + 0 \cdot 2^4 + 1 \cdot 2^3 + 0 \cdot 2^2 + 1 \cdot 2^1 + 0 \cdot 2^0 = 170$$

Y por eso, al elegir las cartas, es lo mismo que si estuviera "eligiendo" los "unos". Las cartas que "no le entrega" son las cartas que *contienen los ceros*.

Por último, ¿cómo hacer para saber cómo escribir un número cualquiera en forma binaria? Por ejemplo: si yo tengo el número 143, ¿cuál es la escritura? (es importante aprender a resolver este problema, porque si no habría que empezar la lista número por número hasta llegar al 143).

Lo que se hace es *dividir el número 143 por 2. Y al resultado volver a dividirlo por 2. Y seguir así, hasta el cociente que se obtenga, sea 0 o 1.*

En este caso entonces:

$$143 = 71 . 2 + 1$$

O sea, acá el cociente es 71 y *el resto es 1.*
Seguimos. Ahora dividimos al 71 por 2.

$$71 = 35 . 2 + 1$$

El cociente, acá, es 35. Y el resto, es 1. Dividimos 35 por 2.

$$35 = 17 . 2 + 1 \text{ (cociente 17, resto 1)}$$
$$17 = 8 . 2 + 1 \text{ (cociente 8, resto 1)}$$
$$8 = 4 . 2 + 0 \text{ (cociente 4, resto 0)}$$
$$4 = 2 . 2 + 0 \text{ (cociente 2, resto 0)}$$
$$2 = 1 . 2 + 0 \text{ (cociente 1, resto 0)}$$
$$1 = 0 . 2 + 1 \text{ (cociente 0, resto 1)}$$

Y aquí termina la historia. Lo que uno hace es juntar todos los restos que obtuvo y ponerlos todos juntos, de abajo hacia arriba:

$$10\ 001\ 111$$

$$1 \cdot 2^7 + 0 \cdot 2^6 + 0 \cdot 2^5 + 0 \cdot 2^4 + 1 \cdot 2^3 + 1 \cdot 2^2 + 1 \cdot 2^1 + 1 \cdot 2^0 =$$
$$128 + 8 + 4 + 2 + 1 = 143$$

Ahora, les sugiero que practiquen ustedes con otros números. Yo voy a poner sólo un par de ejemplos más:

$$82 = 41 \cdot 2 + 0$$
$$41 = 20 \cdot 2 + 1$$
$$20 = 10 \cdot 2 + 0$$
$$10 = 5 \cdot 2 + 0$$
$$5 = 2 \cdot 2 + 1$$
$$2 = 1 \cdot 2 + 0$$
$$1 = 0 \cdot 2 + 1$$

Luego,
$$82 = 1\,010\,010 = 1 \cdot 2^6 + 0 \cdot 2^5 + 1 \cdot 2^4 + 0 \cdot 2^3 + 0 \cdot 2^2 +$$
$1 \cdot 2^1 + 0 \cdot 2^0 = 64 + 16 + 2$ (y el número lo obtuvimos escribiendo de abajo arriba, los restos de las divisiones. Insisto en invitarlos a hacer las cuentas y convencerse de que esto es cierto (y mucho más interesante aún es convencerse de que esto es cierto independientemente del número que elijamos).

Un último ejemplo:

$$1.357 = 678 \cdot 2 + 1$$
$$678 = 339 \cdot 2 + 0$$
$$339 = 169 \cdot 2 + 1$$
$$169 = 84 \cdot 2 + 1$$
$$84 = 42 \cdot 2 + 0$$
$$42 = 21 \cdot 2 + 0$$
$$21 = 10 \cdot 2 + 1$$
$$10 = 5 \cdot 2 + 0$$
$$5 = 2 \cdot 2 + 1$$
$$2 = 1 \cdot 2 + 0$$
$$1 = 0 \cdot 2 + 1$$

Luego, el número que buscamos es:

10 101 001 101

Lo que significa:

$1 \cdot 2^{10} + 0 \cdot 2^9 + 1 \cdot 2^8 + 0 \cdot 2^7 + 1 \cdot 2^6 + 0 \cdot 2^5 + 0 \cdot 2^4 + 1 \cdot 2^3 +$
$1 \cdot 2^2 + 0 \cdot 2^1 + 1 \cdot 2^0 = 1.024 + 256 + 64 + 8 + 4 + 1 = 1.357$

La raíz cuadrada de 2 es un número irracional

Cuando Pitágoras y su gente (hayan existido o no) descubrieron el famoso teorema (el de Pitágoras, digo), tropezaron con un problema... Supongamos que uno tiene un triángulo rectángulo cuyos dos catetos miden *uno*. (Aquí podríamos poner *un metro* o *un centímetro* o *una unidad*, para que la abstracción no sea tan grande).

Entonces, si cada cateto mide *uno*, la hipotenusa* tiene que medir $\sqrt{2}$. Este número presentó inmediatamente un problema. Para entenderlo, pongámonos de acuerdo en un par de puntos:

a) Un número x se llama *racional* si resulta ser el *cociente entre dos números enteros*.

O sea, $x = p/q$,

donde p y q son números enteros, y además debe cumplirse que $q \neq 0$.

Ejemplos:

I) 1,5 es un número racional, porque $1,5 = 3/2$
II) 7,6666666... es racional porque $7,6666666... = 23/3$
III) 5 es un número racional, porque $5 = 5/1$

---

* Se llama *hipotenusa* de un triángulo rectángulo, al lado de mayor longitud. A los otros dos lados se los llama *catetos*.

En particular, este último ejemplo sugiere que *todo número entero es racional*. Y este resultado es cierto, ya que cualquier número entero se puede escribir como el cociente entre él mismo y *1*.

Hasta ese momento, o sea, en el momento en que Pitágoras demostró su teorema, los *únicos números que se conocían eran los racionales*. El propósito de este subcapítulo es, justamente, introducir el problema con el que tropezaron los pitagóricos.

Un paso más. Para pensar: si un número es par, ¿será verdad que su cuadrado es par?

Como siempre, hago una pausa (virtual) para dejarlos solos con su mente (o un lápiz y papel). En todo caso, yo sigo aquí, porque no los puedo esperar mucho tiempo, pero ustedes vuelvan cuando quieran...

La respuesta es sí. ¿Por qué? Porque si un número x es par, eso significa que x se puede escribir de esta forma:

$$x = 2 \cdot n$$

(donde n es un número entero también).

Entonces, si elevamos a x al cuadrado, se tiene:

$$x^2 = 4 \cdot n^2 = 2 (2 \cdot n^2)$$

Y esto significa que x^2 es un número par también.

Ahora, al revés: ¿será verdad que si x^2 es par, entonces x tiene que ser par? Veamos: si x no fuera par, entonces, sería impar. En ese caso, x se tendría que escribir así:

$$x = 2k + 1$$

donde k es cualquier número natural.

Pero entonces, al elevarlo al cuadrado, *no puede ser par tampoco, ya que*

$$x^2 = (2k + 1)^2 = 4k^2 + 4k + 1 = 4m + 1$$
$$\text{(en donde llamé } m = k^2 + k\text{)}.$$

Luego, si $x^2 = 4m + 1$, entonces x^2 es un número *impar*.

La moraleja es que si el cuadrado de un número es par, es porque el número ya era par.

Con todos estos datos, ahora estamos en condiciones de abordar el problema que se les planteó a los pitagóricos. ¿Será verdad que el número $\sqrt{2}$ es racional también? Insisto: piensen que, en aquel momento, los *únicos números que se conocían eran los racionales*. Por lo tanto, era natural que uno *tratara de probar* que cualquier número con el que tropezaba *fuera racional*. Es decir: si en esa época los únicos números que se conocían eran los *racionales*, era razonable que trataran de encontrarle una *escritura como p/q* a cualquier número *nuevo* que apareciera.

Supongamos, entonces (como hicieron los griegos) que $\sqrt{2}$ es un número racional. Si es así, entonces, tienen que existir dos números enteros p y q, de manera tal que

$$\sqrt{2} = (p/q).$$

Al escribir (p/q), suponemos ya que hemos "simplificado" los factores comunes que puedan tener p y q. En particular, suponemos que *ambos no son pares*, ya que si lo fueran, simplificaríamos la fracción y eliminaríamos el *factor dos tanto en el numerador como en el denominador*. O sea: podemos suponer que o bien p o bien q no son pares.

Luego, elevando al cuadrado ambos miembros, tenemos:

$$2 = (p/q)^2 = p^2/q^2$$

y si ahora "pasamos multiplicando" el denominador del segundo miembro al primer miembro, se tiene:

$$2 \cdot q^2 = p^2 \qquad (*)$$

Luego, la ecuación (*) dice que el número p^2 es un número par (ya que se escribe como el producto de 2 *por* un entero).

Como vimos un poco más arriba, si el número p^2 es par, es porque el propio número p es un número par. Entonces, el número p, como es un número par, se puede escribir así:

$$p = 2k$$

Al elevarlo al cuadrado, se tiene:

$$p^2 = 4k^2$$

Reemplazando en la ecuación (*), se tiene:

$$2q^2 = p^2 = 4k^2$$

y simplificando por 2 en ambos lados,

$$q^2 = 2k^2$$

Por lo tanto, el número q^2 es par también. Pero ya vimos que si q^2 es par, es porque el número q es par. Y en ese caso, juntando lo que hemos demostrado, resultaría que *tanto p como q serían pares*. Y eso no es posible, porque habíamos supuesto que si fuera así, los habríamos simplificado.

MORALEJA: el número $\sqrt{2}$ *no es racional*. Y eso abrió un campo nuevo, inexplorado y muy fructífero: el de los números *irracionales*. Juntos, los racionales y los irracionales componen el conjunto de números reales. Son todos los números que necesitamos para medir en nuestra vida cotidiana. (Nota: no todos los números irracionales son tan fáciles de *fabricar* como $\sqrt{2}$. En realidad, si bien $\sqrt{2}$ y π son ambos números irracionales, son *esen-*

cialmente bien distintos por razones que escapan al objetivo de este libro. El primero, √2, pertenece al conjunto de los "números algebraicos", mientras que π pertenece al de los "números trascendentes").

Suma de cinco números

Cada vez que estoy con un grupo de jóvenes (y no tan jóvenes) y los quiero sorprender con un juego con números, siempre utilizo el siguiente. Voy a hacerlo aquí con un ejemplo, pero después vamos a analizar cómo hacerlo en general y por qué funciona.

Les pido a mis interlocutores que me den un número de cinco dígitos. Digamos 12.345 (aunque los invito a que ustedes, mientras leen, hagan otro ejemplo al mismo tiempo). Entonces anoto *12.345* y les digo que en la parte de atrás del papel (o en otro papel), voy a anotar el resultado de una "suma". Naturalmente, las personas se ven sorprendidas porque no entienden de qué "suma" les estoy hablando si hasta acá sólo me han dado un número.

Les digo que tengan paciencia, y que lo que yo voy a hacer es anotar (como queda dicho en la parte de atrás del papel) otro número que va a ser el resultado de una suma, cuyos sumandos *aún no conocemos*, salvo uno: el 12.345.

En la parte de atrás anoto el siguiente número:

212.343

Ustedes se preguntarán por qué anoto ese número. Se trata de agregar un 2 al principio del número y restarle dos al final.

Por ejemplo, si habían elegido 34.710, el número que anotarán detrás será 23.4708. Una vez hecho esto, pido nuevamente al interlocutor que me dé otro número. Como ejemplo, digamos

73.590

Entonces, ya tenemos dos números que van a formar parte de nuestra "suma". El original, 12.345 y este segundo número 73.590. Para seguir, les pido otro número de cinco dígitos. Por ejemplo

43.099

Entonces, tenemos ya tres números de cinco dígitos cada uno, que serán tres de los cinco sumandos:

12.345
73.590
43.099

Una vez llegado a este punto, rápidamente anoto encolumnados otros dos números:

26.409

y

56.900

¿De dónde saqué estos números?

Hice así: teniendo en cuenta el 73.590, agrego abajo lo que hace falta para que sume 99.999. O sea, abajo del número 7 un número 2, abajo del 3, un 6. Abajo del 5 un 4, abajo del 9 un 0 y abajo del 0, un 9.

73.590
+ 26.409
99.999

De la misma forma, teniendo en cuenta el otro número que me dieron, 43.099, el número que hay que poner es el que haga falta para que la suma dé otra vez 99.999. En este caso, el número será 56.900.

Es decir:

$$
\begin{array}{r}
56.900 \\
+ \underline{43.099} \\
99.999
\end{array}
$$

Resumiendo todo lo que hicimos, tenemos ahora *cinco números de cinco dígitos cada uno.* Los tres primeros corresponden a números que nos dio nuestro interlocutor:

12.345, 73.590 y 56.900

Con el primero, fabriqué "la suma total" (y escribí detrás del papel, 212.343) y con los otros dos, construí *otros dos números de cinco dígitos* (en este caso, 26.409 y 43.099), de manera tal de garantizar que la suma con cada uno dé 99.999. Ahora, muy tranquilo, invito al interlocutor a que "haga la suma".

Y los invito a *ustedes* a que la hagan:

$$
\begin{array}{r}
12.345 \\
73.590 \\
56.900 \\
26.409 \\
\underline{43.099} \\
212.343
\end{array}
$$

Es decir, *uno obtiene el número que había escrito en la parte de atrás del papel.*

Los pasos son los siguientes:

    a) Usted primero pide un número de cinco dígitos (43.871).

    b) Luego escribe detrás del papel otro número (ahora de seis dígitos) que resulta de agregarle al anterior un número 2 al principio y restar dos (243.869).

    c) Pide dos números de cinco dígitos más (35.902 y 71.388).

d) Agrega rápido dos números que sumen con los dos anteriores 99.999 (64.097 y 28.611).

e) Invita a que la persona que tiene adelante haga la suma...
¡Y da!

Ahora bien, ¿por qué da?

Ésta es la parte más interesante. Fíjense que al número inicial que la persona nos dio usted le agrega un 2 adelante y le res-
ta dos, como si estuviéramos sumándole al número 200.000 y luego le restáramos dos. O sea, sería como sumarle (200.000 - 2).

Cuando la persona nos da los otros dos números que com-
pletamos hasta que lleguen a sumar 99.999, pensamos que 99.999
es exactamente (100.000 - 1). Pero como usted hace esto *dos veces,* al sumar (100.000 - 1) dos veces, se tiene (200.000 – 2).

¡Y eso es exactamente lo que hicimos! Agregarle al número
original (200.000 – 2). Por eso da: porque lo que termina haciendo uno es sumar dos veces (100.000 - 1) o, lo que es lo mismo,
(200.000 - 2).

¿Un atentado contra el teorema fundamental de la aritmética?

El teorema fundamental de la aritmética dice que todo número entero (diferente de +1, -1 o 0) o bien es primo o bien se
puede descomponer como el producto de números primos.

Ejemplos:

a) $14 = 2 \cdot 7$

b) $25 = 5 \cdot 5$

c) $18 = 2 \cdot 3 \cdot 3$

d) $100 = 2 \cdot 2 \cdot 5 \cdot 5$

e) $11 = 11$ (ya que 11 es primo)

f) $1.000 = 2 \cdot 2 \cdot 2 \cdot 5 \cdot 5 \cdot 5$

g) $73 = 73$ (ya que 73 es primo)

Es más: el teorema dice que la *descomposición en primos es única,* salvo el orden en que se escriben (algo así como que el orden de los factores no altera el producto). Sin embargo, tengo algo para proponer. Observen el número 1.001, que se puede escribir de estas dos maneras:

$$1.001 = 7 \cdot 143$$

y también

$$1.001 = 11 \cdot 91$$

¿Qué es lo que funciona mal? ¿Es que acaso falla el teorema?

La respuesta se encuentra en la página de soluciones.

Infinitos números primos

Ya sabemos lo que son los números primos. Sin embargo, conviene recordar un pasaje de la obra *El burgués gentilhombre*, de Molière, en el que el protagonista, cuando se le pregunta si sabe algo en particular, contesta: "Haced como si no lo supiera y explicádmelo". Así que para partir de un conocimiento común, comenzaremos por algunas definiciones.

En este capítulo, vamos a usar sólo los *números naturales (o enteros positivos).* No quiero dar aquí una definición rigurosa, pero sí ponernos de acuerdo acerca de qué números estoy hablando:

$$N = \{1, 2, 3, 4, 5, 6,\dots, 100, 101, 102,\dots,\}$$

Excluyamos al número 1 de las consideraciones que siguen, pero como ustedes pueden comprobar fácilmente, cualquier otro número tiene *siempre por lo menos dos divisores: sí mismo y 1. (Un número es divisor de otro, si lo divide exactamente. O sea, si al dividir uno por otro, no tiene resto o lo que es lo mismo: el resto es cero.)*

Por ejemplo:

El 2 es divisible por 1 y por sí mismo (el 2),
El 3 es divisible por 1 y por sí mismo (el 3),
El 4 es divisible por 1, por 2 y por sí mismo (el 4),
El 5 es divisible por 1 y por sí mismo (el 5),
El 6 es divisible por 1, por 2, por 3 y por sí mismo (el 6),
El 7 es divisible por 1 y por sí mismo (el 7),
El 8 es divisible por 1, por 2, por 4 y por sí mismo (el 8),
El 9 es divisible por 1, por 3 y por sí mismo (el 9),
El 10 es divisible por 1, por 2, por 5 y por sí mismo (el 10).

Uno podría seguir con esta lista indefinidamente. Con todo, revisando lo que pasa con los primeros naturales, uno detecta un patrón: *todos son divisibles por el 1 y por sí mismos. Puede que tengan más divisores, pero siempre tienen por lo menos dos.* Quiero agregar aquí un par de ejemplos más, para invitarlo a pensar en una definición. Observen:

El 11 es divisible solamente por 1 y por sí mismo.
El 13 es divisible solamente por 1 y por sí mismo.
El 17 es divisible solamente por 1 y por sí mismo.
El 19 es divisible solamente por 1 y por sí mismo.
El 23 es divisible solamente por 1 y por sí mismo.
El 29 es divisible solamente por 1 y por sí mismo.
El 31 es divisible solamente por 1 y por sí mismo.

¿Advierten un patrón en todos estos ejemplos? ¿Qué les sugiere que el 2, 3, 5, 7, 11, 13, 17, 19, 23, 29, 31 tengan *únicamente dos divisores mientras que el resto de los números tengan más de dos?* Una vez que tienen esa respuesta (y si no la tienen, también) escribo una definición:

Un número natural (distinto de 1) se dice que es un número primo si y sólo si tiene exactamente dos divisores: el 1 y él mismo.

Como se ve, pretendo aislar a un grupo de números porque tienen una característica muy especial: son divisibles por sólo dos números, ellos mismos y el número uno.

Ahora escribamos en una lista los que aparecen entre los primeros cien números naturales:

2, 3, 5, 7, 11, 13, 17, 19, 23, 29, 31, 37, 41, 43, 47, 53, 59, 61, 67, 71, 73, 79, 83, 89, 97.

Hay 25 primos entre los primeros cien números.
Hay 21, entre 101 y 200.
Hay 16, entre 201 y 300.
Hay 16, entre 301 y 400.
Hay 17, entre 401 y 500.
Hay 14, entre 501 y 600.
Hay 16, entre 601 y 700.
Hay 14, entre 701 y 800.
Hay 15, entre 801 y 900.
Hay 14, entre 901 y 1.000.

Es decir, hay 168 en los primeros mil números. Si uno se fija en cualquier "tablita" de números primos, la secuencia empieza a hacerse más "fina". Es decir, hay 123 primos entre 1.001 y 2.000, 127 entre 2.001 y 3.000, 120 entre 3.001 y 4.000. Y así podríamos seguir. Aunque surgen algunas preguntas... muchas preguntas. Por ejemplo:

a) ¿Cuántos primos hay?
b) ¿Se acaban en algún momento?
c) Y si no se acaban, ¿cómo encontrarlos todos?

d) ¿Hay alguna fórmula que *produzca* primos?

e) ¿Cómo están distribuidos?

f) Si bien uno *sabe* que no puede haber primos consecutivos, salvo el 2 y el 3, ¿cuántos números consecutivos podemos encontrar sin que aparezca ningún primo?

g) ¿Qué es una laguna de primos?

h) ¿Qué son los *primos gemelos*? (la respuesta estará en el capítulo siguiente).

En este libro sólo me propongo responder algunas, pero lo mejor que podría pasar es que quien esté leyendo estas notas sienta la suficiente curiosidad como para ponerse a pensar algunas de las respuestas o bien a buscar en los diferentes libros del área (Teoría de Números) qué es lo que se sabe de ellos al día de hoy y qué problemas permanecen abiertos.

El objetivo es exhibir ahora una *prueba* de que los números primos son infinitos. Es decir, que la lista no termina nunca. Supongamos que no fuera así. O sea, supongamos que al tratar de "listarlos", se agotan en algún momento.

Los llamaremos entonces

$$p_1, p_2, p_3, p_4, p_5, \ldots, p_n$$

de manera tal que ya estén ordenados en forma creciente.

$$p_1 < p_2 < p_3 < p_4 < p_5 < \ldots < p_n$$

En nuestro caso sería como poner:

$$2 < 3 < 5 < 7 < 11 < 13 < 17 < 19 < \ldots < p_n$$

Es decir, estamos suponiendo que hay n números primos. Y además, que p_n es el más grande de todos. Está claro que si sólo hay un número finito de números primos, tiene que haber uno que sea el más grande de todos. Es decir: si uno tiene un conjunto finito de números, uno de ellos tiene que ser el más grande de todos. No podríamos decir lo mismo si el conjunto fuera infinito, pero en este caso, como estamos suponiendo que hay sólo finitos primos, uno de ellos tiene que ser el mayor, el más grande. A ese número lo llamamos p_n.

Vamos a fabricar ahora un número que llamaremos **N**.

$$N = (p_1 . p_2 . p_3 . p_4 . p_5 ... p_n) + 1 \quad {}^{[4]}$$

Por ejemplo, si *todos* los números primos fueran:

$$2, 3, 5, 7, 11, 13, 17, 19,$$

entonces, el nuevo número **N** sería:

$$2 . 3 . 5 . 7 . 11 . 13 . 17 . 19 + 1 = 9.699.691$$

Ahora bien. Como este número **N** es mayor que el *más grande* de todos los primos,[5] es decir, es mayor que p_n, entonces, no puede ser un número primo (ya que hemos supuesto que p_n es el *mayor* de todos).

Luego, como **N** no puede ser primo, tiene que ser *divisible* por un primo.[6] Por lo tanto, como todos los primos son

---

[4] Al símbolo . lo usaremos para representar "multiplicación" o "producto".

[5] Para convencerse de esto, observe que $N > p_n 2 + 1$, y esto es suficiente para lo que queremos probar.

[6] En realidad, haría falta una demostración de este hecho, pensemos que si un número *no es primo* es porque tiene más divisores que uno y él mismo. Este divisor que tiene es un número menor que el número y mayor que uno. Si este divisor es primo, el problema está resuelto. Si en cambio este divisor no es primo, repetimos el proceso. Y como cada vez vamos obteniendo divisores cada vez más chicos, llegará un momento (y esto es lo que prueba una demostración más formal) en que el proceso se agote. Y ese número al cual uno llega es el *número primo que estamos buscando.*

$$p_1, p_2, p_3, p_4, p_5, ..., p_n$$

entonces, alguno de ellos, digamos el p_k tiene que dividirlo. O lo que es lo mismo, **N** tiene que ser *múltiplo* de p_k.

Esto quiere decir que

$$N = p_k \cdot A$$

Ahora, como el número $(p_1 \cdot p_2 \cdot p_3 \cdot p_4 \cdot p_5... p_n)$ es también múltiplo de p_k, llegaríamos a la conclusión de que tanto **N** como (**N** – 1) son múltiplos de p_k. Y eso es imposible. Dos números consecutivos no pueden ser nunca múltiplos de un mismo número (salvo del uno).

Ahora miremos en un ejemplo cómo sería esta demostración. Supongamos que la lista de primos (que suponemos es finita) fuera la siguiente:

$$2 < 3 < 5 < 7 < 11 < 13 < 17 < 19$$

O sea, estaríamos suponiendo que 19 es el primo más grande que se puede encontrar. En ese caso, fabricamos el siguiente número **N**:

$$N = 2 \cdot 3 \cdot 5 \cdot 7 \cdot 11 \cdot 13 \cdot 17 \cdot 19 + 1 = 9.699.691$$

Por otro lado, el número

$$(2 \cdot 3 \cdot 5 \cdot 7 \cdot 11 \cdot 13 \cdot 17 \cdot 19) = 9.699.690 = N - 1.$$

El número **N** = 9.699.691 no podría ser primo, porque estamos suponiendo que el más grande de todos es el número 19. Luego, este número **N** tiene que ser divisible por un primo. Ahora bien, este primo debería ser uno de los que conocemos: 2, 3, 5, 7, 11, 13, 17 y/o 19. Elijamos uno cualquiera para poder seguir con el argumento (aunque ustedes, si quieren, comprueben que es falso... ninguno de ellos divide a **N**). Supongamos que 7 es el número que divide a **N**.[7] Por otro lado, el número (**N** − 1) es obviamente múltiplo de 7 también.

Entonces tendríamos dos números consecutivos, (**N** − 1) y **N**, que serían ambos múltiplos de 7, lo que es imposible. Por lo tanto, esto demuestra que es falso suponer que hay un número primo que es mayor que todos[8] y concluye la demostración.

Primos gemelos

Sabemos que no puede haber primos consecutivos, salvo el par {2, 3}. Esto resulta obvio si uno piensa que en cualquier par de números consecutivos, uno de ellos será par. Y el único *primo par* es el 2. Luego, el único par de primos consecutivos es el {2, 3}.

Ahora bien: si bien uno sabe que no va a encontrar primos consecutivos, ¿qué pasa si uno se saltea uno? Es decir, ¿hay dos impares consecutivos que sean primos? Por ejemplo, los pares {3, 5}, {5, 7}, {11, 13}, {17, 19} son primos, y son dos impares consecutivos.

Justamente, se llama *primos gemelos* a dos números primos que difieren en *dos unidades*, como en los ejemplos que acabamos de ver. O sea, son de la forma {p, p+2}.

El primero en llamarlos "primos gemelos" fue Paul Stackel (1892-1919), tal como aparece en la bibliografía que publicó Tietze en 1965.

---

[7] Haber elegido el número 7 como divisor del número N es sólo para poder invitarlos a pensar cómo es el argumento que se usa, pero claramente hubiera funcionado con cualquier otro.

[8] Esto que hemos hecho suponiendo que 19 era el primo más grande fue sólo como un ejemplo que debería servir para entender el razonamiento general que está expuesto más arriba, en donde el número primo p_n es el que hace el papel del 19.

Más pares de primos gemelos:

{29, 31}, {41, 43}, {59, 61}, {71, 73}, {101, 103}, {107, 109},
{137, 139}, {149, 151}, {179, 181}, {191, 193}, {197, 199}, {227,
229}, {239, 241}, {281, 283}...

La conjetura es que hay *infinitos primos gemelos*. Pero hasta hoy, agosto de 2005, todavía no se sabe si es cierto.

El par de primos gemelos más grande que se conoce hasta hoy es

$$(33.218.925) \cdot 2^{169.690} - 1$$

y

$$(33.218.925) \cdot 2^{169.690} + 1$$

Son números que tienen 51.090 dígitos y fueron descubiertos en el año 2002. Hay muchísimo material escrito sobre este tema, pero aún hoy la conjetura de la infinitud de primos gemelos sigue sin solución.

Lagunas de primos

Uno de los problemas más interesantes de la matemática es tratar de descubrir un *patrón* en la distribución de los números primos.

Es decir: ya sabemos que son infinitos. Ya vimos también qué son los *primos gemelos*. Miremos ahora los primeros cien números naturales. En este grupo hay 25 que son primos (aparecen en bastardilla). Es fácil encontrar *tres números consecutivos que no sean primos*: 20, 21, 22. Hay más en la lista, pero no importa. Busquemos ahora una tira de *cuatro números con-*

secutivos que no sean primos: 24, 25, 26, 27 sirven (aunque todavía está el 28 para agregar a la lista). Y así siguiendo, uno puede encontrar "tiras" de números (consecutivos) de manera tal que sean "no primos" o "compuestos".

2, 3, 4, 5, 6, 7, 8, 9, 10, *11,*12, *13,* 14,15, 16, *17,* 18, *19,* 20, 21, 22, *23,* 24, 25, 26, 27, 28, *29,* 30, *31,* 32, 33, 34, 35, 36, *37,* 38, 39, 40, *41,* 42, *43,* 44, 45, 46, *47,* 48, 49, 50, 51, 52, *53,* 54, 55, 56, 57, 58, *59,* 60, *61,* 62, 63, 64, 65, 66, *67,* 68, 69, 70, *71,* 72, *73,* 74, 75, 76, 77, 78, *79,* 80, 81, 82, *83,* 84, 85, 86, 87, 88, *89,* 90, 91, 92, 93, 94, 95, 96, *97,* 98, 99, 100.

La pregunta es: las tiras, ¿pueden tener cualquier longitud? Es decir: si yo quiero encontrar diez números consecutivos tal que ninguno sea primo, ¿la podré encontrar? ¿Y si quiero encontrar cien seguidos, todos compuestos? ¿Y mil?

Lo que quiero tratar de contestar es que, en verdad, uno puede "fabricarse" tiras de números consecutivos *tan grande como uno quiera,* de manera que *ninguno de ellos sea un número primo.* Este hecho es bastante singular, teniendo en cuenta que el número de primos es infinito. Sin embargo, veamos cómo hacer para demostrarlo.

Primero, quiero dar aquí una notación que es muy útil y muy usada en matemática: se llama *factorial* de un número *n*, y *se escribe n!,* al producto de *todos los números menores o iguales que n.*

Por ejemplo:

1! = 1 (y se lee, *el factorial de 1 es igual a 1)*
2! = 2 . 1 = 2 *(el factorial de 2 es igual a 2)*
3! = 3 . 2 . 1 = 6 *(el factorial de 3 es igual a 6)*
4! = 4 . 3 . 2 . 1 = 24
5! = 5 . 4 . 3 . 2 . 1 = 120
6! = 6 . 5 . 4 . 3 . 2 . 1 = 720

10! = 10 . 9 . 8 . 7 . 6 . 5 . 4 . 3 . 2 . 1= 3.628.800

Como se ve, el factorial va aumentando muy rápidamente.

En general,

n! = n . (n-1) . (n-2) . (n-3)... 4 . 3 . 2 . 1

Aunque parezca que esta definición es arbitraria y no se entienda muy claramente su utilidad, definir *el factorial de un número* es una necesidad para atacar *cualquier problema de combinatoria,* o sea, cualquier problema que involucre contar. Pero, una vez más, eso escapa al objeto de este libro.

Ahora bien: es bueno notar (e importante que ustedes lo piensen) que el factorial de un número *n* es, en realidad, *un múltiplo* de *n y de todos los números que lo preceden.*

Es decir:

3! = 3 . 2, es un múltiplo de 3 y de 2
4! = 4 . 3 . 2, es un múltiplo de 4, como de 3, como de 2
5! = 5 . 4 . 3 . 2 = es un múltiplo de 5, de 4, de 3 y de 2.

Luego,

n! es un múltiplo de n, (n-1), (n-2), (n-3),..., 4, 3 y de 2.

Una última cosa antes de atacar el problema de las "tiras" de números *compuestos* o "no primos". Si dos números son pares, su suma es par. O sea, si dos números son múltiplos de 2, la suma también. Si dos números son múltiplos de 3, la suma también. Si dos números son múltiplos de 4, la suma también. ¿Descubren la idea general?

Si dos números son múltiplos de k, entonces la suma es también múltiplo de k (para cualquier k) (les propongo que hagan ustedes la demostración, que es muy fácil).

Resumo:

a) el factorial de n (o sea, n!) es múltiplo del número n y de todos los números menores que n;

b) si dos números son múltiplos de k, entonces la suma también.

Con estos dos datos, vamos a la carga.

Como entrenamiento, voy a hacer algunos ejemplos con la idea de que quien esté leyendo esto sienta que puede "conjeturar" la forma de hacerlo en general.

Busquemos, sin necesidad de mirar en la tabla de los primos y "no primos" o compuestos, tres números compuestos consecutivos:

$$4! + 2$$
$$4! + 3 \qquad\qquad (*)$$
$$4! + 4$$

Estos tres números son consecutivos. Ahora *descubramos que, además, son compuestos.* Miremos el primero: 4! + 2. El primer sumando, 4! es múltiplo de 2 (por la parte a). Por el otro lado, el segundo sumando, 2, es obviamente múltiplo de 2. Luego, por la parte b), la suma de los dos números (4! + 2) es múltiplo de 2.

El número 4! + 3 está compuesto de dos sumandos. El primero, 4!, por la parte a), es múltiplo de 3. Y el segundo sumando, 3, es también múltiplo de 3. Por la parte b) entonces, la suma (4! + 3) es múltiplo de 3.

El número 4! + 4 está compuesto también por dos sumandos. El primero, 4! por la parte a), es múltiplo de 4. Y el segundo sumando, 4, es también múltiplo de 4. Por la parte b) entonces, la suma (4! + 4) es múltiplo de 4.

En definitiva, los tres números que aparecen en (*) son consecutivos y ninguno de los tres puede ser primo, porque el primero es múltiplo de 2, el segundo de 3 y el tercero de 4.

Con la misma idea, construyamos ahora diez números *consecutivos* que no sean primos, o bien construyamos diez números *consecutivos* que sean compuestos.

Entonces procedemos así:

11! + 2 (es múltiplo de 2)
11! + 3 (es múltiplo de 3)
11! + 4 (es múltiplo de 4)
11! + 5 (es múltiplo de 5)
11! + 6 (es múltiplo de 6)
11! + 7 (es múltiplo de 7)
11! + 8 (es múltiplo de 8)
11! + 9 (es múltiplo de 9)
11! + 10 (es múltiplo de 10)
11! + 11 (es múltiplo de 11)

Estos diez números son consecutivos y compuestos. Luego, cumplen con lo pedido. Si ahora yo les pidiera que ustedes fabricaran cien números consecutivos compuestos, ¿lo podrían hacer? Yo estoy seguro de que sí, siguiendo la idea de los dos ejemplos anteriores.[9]

En general, si uno tiene que fabricar *n* números consecutivos compuestos, hace lo siguiente:

---

[9] Ayuda: el primero sería, por ejemplo, 101! + 2. Luego, 101! + 3, 101! + 4,..., 101! + 99, 101! + 100 y 101! + 101. Por supuesto, éstos son números consecutivos. ¿Cuántos son? Hagan la prueba y averígüenlo. Además, son todos compuestos –o no primos– ya que el primero es múltiplo de 2, el segundo es múltiplo de 3, el tercero es múltiplo de 4... y así siguiendo. El último es múltiplo de 101.

$$(n+1)! + 2$$
$$(n+1)! + 3$$
$$(n+1)! + 4$$
$$(n+1)! + 5$$
$$...$$
$$(n+1)! + n$$
$$(n+1)! + (n+1)$$

Estos números son n (y les pido que los cuenten, háganme caso, porque no los veo muy convencidos...) y son consecutivos; además, el primero es múltiplo de 2, el siguiente de 3, el siguiente de 4, y así siguiendo, hasta el último que es múltiplo de $(n+1)$.

Es decir, esta lista cumple con lo que queríamos: hemos encontrado n *números consecutivos compuestos*.

MORALEJA: esto demuestra que si uno empieza a trabajar con números grandes, muy grandes, aparecen muchos muchos (y no hay error de imprenta... son muchos en serio) números compuestos. Pero, a la vez, esto dice que se pueden encontrar *lagunas* de primos. O sea, una laguna es un segmento de los números naturales en donde *no hay ningún primo*.

Creo que después de la explicación de más arriba, ustedes están en condiciones de aceptar cualquier desafío de encontrar lagunas (tan grandes como les sean propuestas).

El número *e*

Quiero plantear aquí un problema que tiene que ver con poner dinero en un banco que rinda un determinado interés.

Para hacer la exposición más clara, voy a tomar un ejemplo. Vamos a suponer que una persona tiene un capital de un peso. Y vamos a suponer también que el interés que le pagan anualmente por ese peso es del 100%. Ya sé... con este interés, uno sabe que el banco se funde antes de empezar y que el ejemplo está condenado al fracaso. Pero igualmente, síganme que es interesante.

Capital: 1 peso
Interés: 100% anual

Si uno hace la inversión en el banco y se va a su casa, ¿cuánto dinero tiene cuando vuelve justo al año? Claro, como el interés es del 100%, al año el señor tiene dos pesos: uno que corresponde a su capital y otro que es producto del interés que le pagó el banco. Hasta acá, todo claro:

Capital al cabo de un año: 2 pesos

Supongamos ahora que el señor decide poner su dinero no a un año, sino sólo a seis meses. El interés (a lo largo de todo este ejemplo) permanecerá constante: siempre será de un 100%. Al cabo de seis meses entonces, el señor ¿cuánto dinero tiene? ¿Está claro que tiene 1,5 pesos?

Esto es porque el capital permanece intocable: sigue siendo un peso. En cambio, como el interés es del 100% pero sólo dejó el dinero invertido la mitad del año, le corresponde un interés de la mitad de lo que invirtió y, por eso, le corresponden $ 0,50 de interés. Es decir, su nuevo capital es de $ 1,5.

Si ahora el señor decide *reinvertir su nuevo capital en el mismo banco, con el mismo interés (100%) y por otros seis meses* de manera de llegar nuevamente al año como antes, ¿cuánto dinero tiene ahora?

Nuevo capital: 1,5
Interés: 100% anual
Plazo que lo deposita: 6 meses

Al finalizar el año, el señor tiene

$$1,5 + 1/2\ (1,5) = 2,25$$

¿Por qué? Porque el capital que tenía a los 6 meses iniciales, no se toca: $ 1,5. El nuevo interés que cobra es de la mitad del capital, porque el dinero lo pone a un interés del 100% pero sólo por *seis meses*. Por eso, tiene 1/2 (1,5) = 0,75 como nuevo dinero que le aporta el banco como producto de los intereses devengados.

Moraleja: al señor le conviene (siempre que el banco se lo permita) depositar el dinero primero a seis meses y luego renovar el plazo fijo a otros seis meses. Si comparamos con lo que le hubiera tocado en el primer caso, al finalizar el año tenía dos pesos. En cambio, reinvirtiendo en la mitad, al cabo de 365 días tiene $ 2,25.

Supongamos ahora que el señor coloca el mismo peso que tenía originalmente, pero ahora por cuatro meses. Al cabo de esos cuatro meses, reinvierte el dinero, pero por otros cuatro meses. Y finalmente, hace una última reinversión (siempre con el mismo capital) hasta concluir en el año. ¿Cuánto dinero tiene ahora?

Yo sé que ustedes pueden seguir leyendo en esta misma página y encontrar la solución, pero siempre es deseable que los lectores hagan un mínimo esfuerzo (si así lo desean) de pensar solos.

De todas maneras, aquí va. Veamos si se entiende.

Al principio del año el señor tiene:

$$1$$

A los cuatro meses (o sea, transcurrido 1/3 del año) tiene:

$$(1 + 1/3)$$

A los siguientes cuatro meses (ocho desde el comienzo) tiene:

$$(1+1/3) + 1/3\,(1+1/3) = (1+1/3)(1+1/3) = (1+1/3)^2$$

(Esto sucede porque a los cuatro meses el capital es de $(1+1/3)$ y al cabo de otros cuatro meses, tendrá el *capital más un tercio de ese capital*. La cuenta que sigue después, $(1+1/3)^2$, se obtiene de "sacar factor común" $(1+1/3)$ en el término de la izquierda en la ecuación.

Ahora bien: cuando el señor invierte $(1+1/3)^2$ por otros cuatro meses, al llegar justo al fin del año, el señor tendrá el capital $(1+1/3)^2$ *más* $(1/3)$ de ese capital. O sea:

$$(1+1/3)^2 + 1/3(1+1/3)^2 = (1+1/3)^2(1+1/3) = (1+1/3)^3 =$$
$$2,37037037...\ ^{10}$$

Como seguramente advierten, ahora nos queda la tentación de hacerlo no sólo cada cuatro meses, sino cada tres meses. Los invito a que hagan la cuenta ustedes, pero el resultado lo escribo yo. Al cabo de un año, el señor tendrá:

$$(1 + 1/4)^4 = 2,44140.625$$

Si lo hiciera cada dos meses, tendría que reinvertir su dinero seis veces en el año:

$$(1 + 1/6)^6 = 2,521626372...$$

Si lo hiciera una vez por mes, reinvertiría *doce* veces por año

---

[10] A partir de ahora, voy a usar los primeros dígitos del desarrollo decimal de cualquier número que aparezca en el texto. En este caso, el número $(1+1/3)^3$ no es igual a 2,37037037, sino que es una aproximación o redondeo que usa los primeros nueve dígitos.

$$(1+1/12)^{12} = 2,61303529...$$

Como usted ve, al señor le conviene poner su dinero a plazo fijo, pero hacerlo con un plazo cada vez más corto y reinvertir lo que obtiene (siempre con el mismo interés).

Supongamos que el banco le permitiera al señor renovar su plazo *diariamente*. En este caso, el señor tendría

$$(1+1/365)^{365} = 2,714567482...$$

Y si lo hiciera una vez por hora (como en el año hay 8.760 horas), tendría:

$$(1+1/8760)^{8.760} = 2,718126692...$$

Y si se le permitiera hacerlo una vez por minuto, como en el año hay 525.600 minutos, su capital resultaría

$$(1+1/525.600)^{525.600} = 2,718279243...$$

Y por último, supongamos que le permitieran hacerlo *una vez por segundo*.

En ese caso, como en el año hay 34.536.000 segundos, el capital que tendría al cabo de un año sería:

$$(1+1/34.536.000)^{34.536.000} = 2,718281793...$$

MORALEJA: si bien uno advierte que el dinero al finalizar el año es cada vez mayor, sin embargo, *el dinero que uno tiene al final no aumenta indiscriminadamente*.

Voy a hacer un resumen de la lista que hemos escrito recién:

Veces que renueva capital al año su depósito

1 vez al año, 2
2 veces al año, 2,25
3 veces al año (cuatrimestral), 2,37037037...
4 veces al año (trimestral), 2,44140625...
6 veces al año (bimestral), 2,521626372...
12 veces al año (mensual), 2,61303529...
365 veces al año (diario), 2,714567482...
8.760 veces al año (por minuto), 2,718126692...
   525.600 veces al año
(una vez por minuto), 2,718279243...
   34.536.000 veces al año
(una vez por segundo), 2,718281793...

Lo que es muy interesante es que estos números, si bien crecen cada vez que el interés se cobra más frecuentemente, no lo hacen en forma *ni arbitraria* ni *desbocada*. Al contrario: tienen un tope, están *acotados*. Y la cota superior (es decir, si uno pudiera imaginariamente estar renovándolo instantáneamente) es lo que se conoce como el número *e* (que es la base de los logaritmos naturales, cosa que no importa en este contexto). No sólo es una cota superior, sino que es el número al cual se está acercando cada vez más la sucesión que estamos generando al modificar los plazos de reinversión.

El número *e* es un número *irracional*, cuyas primeras cifras decimales son:

$$e = 2{,}718281828... \text{ [11]}$$

---

[11] Este número tiene un desarrollo decimal infinito y pertenece a la misma categoría que el número π (pi), en el sentido de que, además de irracionales, son números trascendentes (dado que no son la raíz de ningún polinomio con coeficientes enteros).

El número *e* es uno de los números más importantes de la vida cotidiana, aunque su relevancia está generalmente escondida para el gran público. En algún otro momento y lugar, habría que divulgar mucho más sobre él. Por ahora, nos contentamos con celebrar su aparición en este escenario, mostrándolo como *el límite (y también la cota superior) del crecimiento de un capital de $ 1 a un interés del 100% anual y renovado periódicamente.*

Distintos tipos de infinito

CONTAR

Un niño, desde muy pequeño, sabe contar. Pero ¿qué quiere decir *contar*? En realidad, dado un conjunto de objetos cualquiera, digamos los discos que alguien tiene en su colección, ¿cómo hace para saber cuántos tiene? La respuesta parece obvia (y en realidad, parece porque lo es). Pero quiero contestarla. La respuesta es: para saber cuántos discos tiene uno en su colección, lo que tiene que hacer es ir y contarlos.

De acuerdo. Es un paso que había que dar. Pero ¿qué quiere decir contar? Van al sitio donde tienen guardados los discos y empiezan: 1, 2, 3,... etcétera.

Pero:

a) Para poder contar se necesita conocer los números (en este caso, los números naturales).

b) Los números que usamos están ordenados, pero a nosotros *el orden no nos interesa*. ¿Se entiende esto? A ustedes sólo les importa saber *cuántos tienen* y no en qué orden está cada uno. Si yo les pidiera que los *ordenaran por preferencia*, entonces sí importaría el orden. Pero para saber cuántos hay, el orden es irrelevante.

c) Ustedes saben que el proceso termina. Es decir, su colección de discos, por más grande que sea, en algún momento se termina.

Ahora supongamos que estamos dentro de un cine. Todavía no ha llegado nadie para presenciar la próxima función. Sabemos que hay mucha gente en la calle haciendo cola y esperando que se abran las puertas.

¿Cómo haríamos para saber si las butacas que tiene el cine alcanzarán para poder sentar a las personas que esperan afuera? O, en todo caso, ¿cómo haríamos para saber si hay más butacas que personas, o más personas que butacas, o si hay la misma cantidad? Evidentemente, la respuesta inmediata que todo el mundo está tentado a dar es: "Vea. Yo cuento las butacas que hay. Después cuento las personas. Y para terminar el proceso, comparo los números".

Pero eso requiere *contar dos conjuntos*. Es decir: hay que *contar las butacas y luego (o antes) hay que contar las personas.*

¿Es necesario *saber contar* para poder contestar si hay más butacas que personas, o personas que butacas o la misma cantidad? La respuesta que podríamos dar es la siguiente: abramos las puertas del cine, permitamos a la gente que entre y se siente en el lugar que quiera, y cuando el proceso termine, repito, *cuando el proceso termine* (ya que tanto las butacas como las personas *son conjuntos finitos)*, nos fijamos si quedan butacas vacías; eso significa que había más butacas que personas. Si hay gente parada sin asiento (no se permite más de un asiento por persona), entonces había más gente que lugar. Y si no sobra ninguna butaca y nadie está parado, eso quiere decir que había el *mismo número de butacas que de personas.* Pero lo notable de esto es que uno puede dar la respuesta sin necesidad de haber contado. Sin necesidad de saber cuál es ni el número de personas ni el número de butacas.

Éste no es un dato menor en este contexto: lo que uno está haciendo es *aparear* a los dos conjuntos. Es como si tuviéramos dos bolsas: una en donde están las personas y otra en donde están las butacas. Y lo que hacemos es trazar "flechitas" que le "asignen" a cada persona una butaca. Sería el equivalente a cuando uno compra una entrada en el cine. Si sobran entradas o si faltan entradas o si hay la misma cantidad, es en realidad una manera de haber trazado las flechitas. Pero lo bueno de este proceso es que no hace falta saber contar.

El segundo paso importante es que cuando yo quiera comparar el número de elementos de dos conjuntos, no necesito saber contar. Lo que tengo que hacer es *aparearlos*, establecer *flechitas* entre uno y otro.

Sólo para ponernos de acuerdo con las notaciones, vamos a llamar *cardinal* de un conjunto A (y lo vamos a *notar* #(A)) al *número de elementos de ese conjunto*.

Por ejemplo,

- (el cardinal del conjunto "jugadores titulares de un equipo de fútbol profesional") = # {jugadores titulares de un equipo de fútbol profesional} = 11,
- (el cardinal del conjunto "presidentes de la nación") = # {presidentes de la nación} = 1,
- (el cardinal del conjunto "universidades nacionales en la argentina") = # {universidades nacionales en la argentina} = 36,
- (el cardinal del conjunto "puntos cardinales") = # {puntos cardinales} = 4.

Como hemos visto, si queremos *comparar los cardinales de dos conjuntos* no hace falta *saber el cardinal de cada uno para saber cuál es el más grande o si son iguales*. Basta con aparear los elementos de cada uno. Debe quedar claro, entonces, que para comparar cardinales uno se *libera* del proceso de contar. Y esto será muy importante cuando tengamos que "generalizar" la noción de contar, justamente.

Una última observación antes de pasar a los conjuntos infinitos. Los números naturales son los conocidos e hipermencionados en este libro:

$$N = \{1, 2, 3, 4, 5... \}$$

Vamos a llamar *segmento de los naturales de longitud n al subconjunto* {*1, 2, 3,..., (n-2), (n-1), n*}. A este segmento lo vamos a denotar [1, n]

Por ejemplo, el *segmento natural de longitud cinco*,

[1, 5] = {1, 2, 3, 4, 5}
[1, 35] = {1, 2, 3, 4, 5, 6, 7,..., 30, 31, 32, 33, 34, 35}
[1, 2] = {1, 2}
[1, 1] = {1}

Creo que se entiende entonces que todos estos "segmentos naturales" o "segmentos de números naturales" comienzan con el número uno; la definición entonces es:

[1, n] = {1, 2, 3, 4, 5,..., (n-3), (n-2), (n-1), n}.

En realidad podemos decir que *contar los elementos de un conjunto finito* significa "aparear" o *coordinar* o "poner las flechitas" entre los elementos del conjunto que nos dieron y algún *segmento natural*. Dependiendo del *n* vamos a decir que el conjunto tiene *cardinal n*. O, lo que es lo mismo, vamos a decir que el conjunto tiene *n* elementos.

Una vez entendido esto, ya sabemos entonces lo que son los conjuntos *finitos*. Lo bueno es que también podemos aprovecharnos de esta definición para entender lo que significa un conjunto *infinito*.

¿Qué definición dar? Intuitivamente, y antes de que yo escriba una definición tentativa, piensen un instante: ¿cuándo dirían que un conjunto es infinito? Y por otro lado, cuando piensan en esa definición, ¿en qué conjunto piensan?, ¿qué ejemplo tienen a mano?

La definición que voy a dar de conjunto *infinito* les va a parecer sorprendente, pero lo curioso es que es la más obvia: vamos a decir que un conjunto es *infinito* si no es finito. ¿Qué quiere decir esto? Que si nos dan un conjunto A y nos piden que decidamos si es finito o infinito, lo que uno tiene que tratar de hacer es buscar un *segmento natural para coordinarlo o aparearlo con él*. Si uno encuentra algún *número natural n,* de manera tal que el segmento [1, n] y el conjunto A se pueden aparear, uno tiene la respuesta: el conjunto *es finito*. Pero, si por más que uno trate, no puede encontrar el tal segmento natural, o lo que es lo mismo, cualquier segmento natural que uno busca siempre se queda *corto*, entonces es porque el conjunto A es *infinito*.

Ejemplos de conjuntos infinitos:

a) Los números naturales (todos)
b) Los números pares
c) Los números múltiplos de cinco
d) Los puntos de un segmento
e) Los puntos de un triángulo
f) Los números *que no son múltiplos de 7.*

Los invito a que busquen otros ejemplos.[12]

Hablemos ahora un poco de los conjuntos infinitos. En este mismo libro hay varios ejemplos (hotel de Hilbert, cantidad y distribución de los números de primos) que atentan contra la

---

[12] El conjunto vacío es el único que tiene "cardinal" cero. Esto, para salvar el "bache" lógico que se generaría, ya que como el "conjunto vacío" no se puede "aparear" con ningún segmento natural, entonces, no sería "finito". Luego, sería "infinito". Ese obstáculo lógico se salva o bien excluyendo al "vacío" de la discusión o bien, como elijo hacer, diciendo que el "conjunto vacío" es el único que tiene "cardinal cero".

intuición. Y eso es maravilloso: la intuición, como cualquier otra cosa, se *desarrolla, se mejora.* Uno *intuye distinto* cuanto más datos tiene. Cuanto más acostumbrado está a pensar en cosas diferentes, *mejor se prepara para tener ideas nuevas.*

Agárrense fuerte entonces, porque empezamos ahora un viaje por el mundo de los conjuntos *infinitos.* Abróchense el cinturón y prepárense para pensar distinto.

PROBLEMA

Unos párrafos más arriba vimos cómo hacer para decidir cuál de dos conjuntos tiene más elementos (o si tienen el mismo cardinal). Decimos, para fijar las ideas, que dos conjuntos son *coordinables* si tienen *el mismo cardinal.* O sea, si tienen el *mismo número de elementos.* Como vimos, ya no necesitamos contar en el sentido clásico. Por ejemplo, el conjunto de todos los números naturales sabemos que es un conjunto *infinito.*

¿Qué pasará con los números pares? Les propongo que hagan el ejercicio de *demostrar* que también son infinitos, o lo que es lo mismo, los números pares *son un conjunto infinito.*

Pero la pregunta cuya respuesta parece atentar contra la intuición es la siguiente: si N son todos los números y P son los números pares, ¿en qué conjunto hay más elementos? Yo sé que esto invita a una respuesta inmediata (*todos los números tienen que ser más, porque los números pares están contenidos* entre todos). Pero esta respuesta está basada en algo que no sabemos más si es cierto para conjuntos infinitos: ¿es verdad que por el *simple hecho de que los pares forman parte de todos los números entonces son menos?* ¿Por qué no tratamos de ver si podemos usar lo que aprendimos en el ejemplo de las butacas y las personas? ¿Qué habría que hacer? Deberíamos tratar de *coordinar o aparear o unir con flechitas* a todos los números y a los números pares. Eso nos va a dar la respuesta correcta.

Veamos. De un lado, en una bolsa, están todos los números

naturales, los que forman el conjunto N. Del otro lado, en otra bolsa, están los números pares, los que forman el conjunto P.

Si yo hago la siguiente asignación (teniendo en cuenta que a la izquierda están los números del conjunto N y a la derecha, los elementos del conjunto P):

$$1 \longleftrightarrow 2$$
$$2 \longleftrightarrow 4$$
$$3 \longleftrightarrow 6$$
$$4 \longleftrightarrow 8$$
$$5 \longleftrightarrow 10$$
$$6 \longleftrightarrow 12$$
$$7 \longleftrightarrow 14$$

(¿Entienden lo que estoy haciendo? Estamos *asignando a cada número de N un número de P)*

Es decir, a cada número de la izquierda, le hacemos corresponder *su doble*. Si siguiéramos así, al número *n* le hacemos corresponder el número *2n*. Por ejemplo, al número 103 le corresponde el 206. Al número 1.751, le corresponde el 3.502, etcétera.

Ahora bien: ¿está claro que a todo número de la izquierda le corresponde un número de la derecha? ¿Y que cada número de la derecha es par? ¿Y está claro también que a cada número par (de la derecha) le corresponde un número de la izquierda (justamente la mitad)? ¿Queda claro que hay *una correspondencia biunívoca o una coordinación entre ambos conjuntos?* ¿Queda claro que este proceso muestra que *hay la misma cantidad de números naturales que de números pares?* Esta afirmación es algo que en principio atenta contra la intuición. Pero es así. Liberados del problema de tener que *contar,* ya que en este caso no podríamos hacerlo porque el proceso no terminaría nunca en la medida en que los conjuntos son infinitos, lo que acabamos de hacer es mostrar que N y P son coordinables. O sea, que tienen el mismo número de elementos.

En el camino queda destruido un argumento que sólo es válido para conjuntos finitos: *aunque un conjunto esté contenido en otro, eso no significa que por eso tenga menos elementos.* Para conjuntos infinitos, eso no necesariamente es cierto, como acabamos de ver en el ejemplo de todos los números y los números pares.[13]

Éste es ya un juguete nuevo. Con esto podemos divertirnos un rato y empezar a preguntar: ¿y los impares? Bueno, supongo que cualquiera que haya seguido el argumento de los párrafos anteriores está en condiciones de decir que también hay tantos impares como números todos. Y por supuesto que hay tantos impares como pares.

A esta altura, conviene que diga que al *cardinal* de estos conjuntos infinitos que vimos hasta acá (naturales, pares, impares), se lo llama "aleph cero". (Aleph es la primera letra del alfabeto hebreo, y aleph cero es la notación que se usa universalmente para *indicar el número de elementos de conjuntos infinitos coordinables con el conjunto de los números naturales*).

¿Qué pasará ahora si consideramos los números enteros? Recuerden que los números enteros son *todos los naturales*, pero a los que se les agregan *el cero y todos los números negativos*. A los enteros se los denomina con la letra Z (del alemán Zahl) y son:

$$\{... -5, -4, -3, -2, -1, 0, 1, 2, 3, 4, 5, ...\}$$

Está claro, entonces, que los enteros forman un conjunto infinito. De paso, es bueno observar que si un conjunto contiene como *subconjunto* a un conjunto infinito, éste tiene que ser infinito también (¿no les dan ganas de pensarlo solos?).

---

[13] Es más: en algunos libros se da como *definición de conjunto infinito* a un conjunto que tiene subconjuntos propios (o sea, que no *son todo el conjunto*) coordinables con el *todo*.

Pero volvamos al problema original. ¿Qué pasa con Z? Es decir, ¿qué pasa con los enteros? ¿Son más que los naturales?

Para mostrar que el cardinal de ambos conjuntos es el mismo, lo que tenemos que hacer es encontrar una correspondencia biunívoca (es decir, flechitas que salgan de un conjunto y lleguen al otro sin dejar "libre" ningún elemento de ninguno de los dos conjuntos).

Hagamos las siguientes asignaciones:

Al 0 le asignamos el 1
Al -1 le asignamos el 2
Al +1 le asignamos el 3
Al -2 le asignamos el 4
Al +2 le asignamos el 5
Al -3 le asignamos el 6
Al +3 le asignamos el 7

Y así podremos asignarle a *cada número entero* un número natural. Está claro que no quedará ningún entero sin que le corresponda un natural, ni recíprocamente, ningún natural sin que tenga un entero asignado a su vez. Es decir, hemos comprobado con esto *que el conjunto Z* de los números enteros *y el conjunto N* de los números naturales tienen el mismo cardinal. Ambos tienen cardinal aleph cero. Es decir, los enteros y naturales tienen la misma cantidad de elementos.

Como ejercicio, los invito a que prueben que también tienen cardinal aleph cero (y por lo tanto tienen la misma cantidad de elementos que los enteros o los naturales) los números múltiplos de cinco, las potencias de dos, de tres, etcétera. Si llegaron hasta acá y todavía están interesados, no dejen de pensar los distintos casos y cómo encontrar la *correspondencia* que demuestra que todos estos conjuntos (aunque parezca que no) tienen todos el mismo cardinal.

Ahora peguemos un pequeño salto de calidad. Consideremos

los *números racionales*, que llevan el nombre de Q (por "quo-tient", o "cociente" en inglés). Un número se llama *racional* si es el cociente de dos números enteros: a/b (excluyendo el caso, obviamente, en que b sea cero). Ya sabemos, como hemos visto en otra parte del libro, que *no se puede dividir por cero*.

En realidad, los números racionales son los que se conocen como "las fracciones", con numerador y denominador números enteros. Por ejemplo, (-7/3), (17/5), (1/2), 7, son números racionales. Es interesante notar, que cualquier número entero *es tam-bién un número racional,* porque todo número entero *a* se pue-de escribir como una fracción o como cociente de él mismo por 1. O sea:

$$a = a/1$$

Lo interesante es tratar de ver que, aunque *parezcan muchí-simos más, los racionales también tienen a aleph cero como car-dinal.* O sea, también son coordinables con los naturales. Así, en el lenguaje común (que es el útil), *hay tantos racionales como naturales.*

La demostración es interesante porque lo que vamos a ha-cer es una asignación que irá en espiral. Ya se va a entender. Hacemos así:

Al 0/1 le asignamos el 1	Al 1/3 le asignamos el 10
Al 1/1 le asignamos el 2	Al 1/4 le asignamos el 11
Al 1/2 le asignamos el 3	Al 2/4 le asignamos el 12
Al 2/2 le asignamos el 4	Al 3/4 le asignamos el 13
Al 2/1 le asignamos el 5	Al 4/4 le asignamos el 14
Al 3/1 le asignamos el 6	Al 4/3 le asignamos el 15
Al 3/2 le asignamos el 7	Al 4/2 le asignamos el 16
Al 3/3 le asignamos el 8	Al 4/1 le asignamos el 17
Al 2/3 le asignamos el 9	Al 5/1 le asignamos el 18

Al 5/2 le asignamos el 19   Al 3/5 le asignamos el 24
Al 5/3 le asignamos el 20   Al 2/5 le asignamos el 25
Al 5/4 le asignamos el 21   Al 1/5 le asignamos el 26
Al 5/5 le asignamos el 22   Al 1/6 le asignamos el 27...
Al 4/5 le asignamos el 23

Como se ve, a cada número racional *no negativo (o sea, mayor o igual que cero)* le asignamos un número natural. Esta asignación es biunívoca, en el sentido de que a todo racional le corresponde un natural y viceversa. La única observación que habría que considerar es que hice todo esto para los racionales positivos. Si uno quiere agregar los negativos, la asignación *debe* ser diferente, pero creo que el lector sabrá ingeniarse para hacerla (en todo caso, en la página de soluciones hay una propuesta para hacerlo).

Una observación que surge es que en la columna de la izquierda yo estoy *pasando* varias veces por el mismo número. Por ejemplo, el 1 en la columna de la izquierda aparece como 1/1, 2/2, 3/3, 4/4, etcétera; o sea, aparece muchas veces. ¿Afecta esto la cardinalidad? Al contrario. En todo caso, si uno tiene que conjeturar algo a priori, es que el conjunto de los racionales *parece tener más elementos* que los naturales y, sin embargo, la asignación que acabo de ofrecer muestra que *tienen el mismo cardinal*. En todo caso, muestra que a pesar de repetir varias veces el mismo racional, sigue habiendo naturales para todos ellos. Lo cual es un hecho francamente notable y antiintuitivo.

Y ahora llegamos al punto central. La pregunta que uno tiene que hacerse es la siguiente: da la sensación de que *todos los conjuntos infinitos tienen el mismo cardinal*. Es decir, hemos revisado los naturales, los pares, los impares, los enteros, los racionales, etcétera. *Todos* los ejemplos que hemos visto de conjuntos infinitos resultaron ser coordinables a los naturales, o lo que es lo mismo, tienen todos el mismo cardinal: aleph cero.

Con todo derecho, entonces, uno podría decir: "Bueno. Ya sabemos cuáles son los conjuntos infinitos. Habrá muchos o pocos, pero todos tienen el mismo cardinal". Y aquí es donde aparece un punto central en la teoría de conjuntos. Hubo un señor que hace muchos años, alrededor de 1880, se tropezó con un problema. Tratando de demostrar que todos los conjuntos infinitos tenían el mismo cardinal, encontró uno que no. El señor, por más esfuerzos que hacía por encontrar "las flechitas" para poder coordinar *su conjunto* con los números naturales, *no podía*. Tal era su desesperación que en un momento cambió de idea (e hizo algo genial, claro, porque tuvo una idea maravillosa) y pensó: "¿y si no puedo encontrar las flechitas porque no es posible encontrarlas? ¿No será preferible que trate de *demostrar que no se pueden encontrar las flechitas porque no existen?*".

Este señor se llamó Georg Cantor. Van a encontrar una breve reseña biográfica de él en otra parte del libro, pero al margen de lo que allí diga, a Cantor lo volvieron loco. La comunidad científica especialista en el tema lo enloqueció, literalmente.

Cuando Cantor descubrió que había *infinitos más grandes que otros*, dijo: "Lo veo y no lo creo".

Pero ¿qué es lo que hizo Cantor? Para entenderlo, necesito recordar aquí por un momento qué es el desarrollo decimal de un número (sin entrar en demasiados detalles). Por ejemplo, cuando definí los números racionales, digamos el número 1/2, quedó claro que este número también se puede escribir así:

$$1/2 = 0,5$$

Y agrego otros ejemplos:

$$1/3 = 0,33333...$$
$$7/3 = 2,33333...$$
$$15/18 = 0,8333...$$
$$37/49 = 0,75510204...$$

Es decir, cada número racional tiene un desarrollo decimal (que se obtiene, justamente, haciendo el cociente entre los dos números enteros). Lo que sabemos de los números racionales es que al hacer el cociente, el desarrollo decimal es, o bien finito (como en el caso de 1/2 = 0,5, porque después vendrían sólo ceros a la derecha de la coma), o bien es periódico, como 1/3 = 0,33333..., en donde se repite un número (en este caso el 3), o podría ser un conjunto de números (que se llama *período)*, como en el caso de (17/99) = 0,17 17 17 17... en donde *el período es 17*, o bien, en el caso de (1743/9900) = 0,176060606... en donde el *período* es 60.

Es más: podemos decir que todo número racional tiene un desarrollo decimal finito o periódico. Y al revés: dado un desarrollo decimal finito o periódico cualquiera, eso corresponde a un único número racional.

A esta altura, yo creo que puedo suponer que los lectores *entienden lo que es el desarrollo decimal.*

Con todo, hay números que *no son racionales.* Son números *que tienen un desarrollo decimal* pero que se sabe que no son racionales. El ejemplo más famoso es π (pi). Se sabe (no lo voy a probar aquí) que π no es un número racional. Si siguen interesados en más ejemplos, en este mismo libro está la demostración que "enloqueció" a los pitagóricos de que "la raíz cuadrada de 2" (√2) *no es racional.* Y por otro lado, por allí también anda el número *e,* que *tampoco es racional.*

Ustedes saben que el número π tiene un desarrollo decimal que empieza así:

$$\pi = 3,14159...$$

El número √2 tiene un desarrollo decimal que empieza así:

$$\sqrt{2} = 1,41421356...$$

El número *e* tiene un desarrollo decimal que empieza así:

$$e = 2,71828183...$$

La particularidad que tienen *todos estos números* es que tienen un desarrollo decimal que *no termina nunca* (en el sentido de que no aparecen ceros a la derecha de la coma a partir de ningún momento) y *tampoco son periódicos* (en el sentido de que no hay un lugar del desarrollo a partir del cual *se repita indefinidamente un segmento de números*). Estos dos hechos están garantizados porque los *números en cuestión no son racionales*. Es más: las cifras de cada número son imposibles de predecir en función de las anteriores. No siguen ningún patrón.

Creo que se entiende entonces cuáles son esta clase de números. Más aún: todo número *real* que no sea *racional* se llama *irracional*. Los tres ejemplos que acabo de poner son tres números irracionales.

Cantor propuso entonces: "voy a probar que hay un conjunto infinito que *no se puede coordinar con los naturales*". Y para eso, siguió diciendo: "el conjunto que voy a tomar es el de *todos los números reales* que están en el segmento [0,1]".[14]

Un momento: tomen una recta, marquen un punto cualquiera y llámenlo *cero*. Los puntos que están a la derecha se llaman *positivos* y los que están a la izquierda *se llaman negativos*.

NEGATIVOS   CERO   POSITIVOS

Cada punto de la recta corresponde a una *distancia del cero*. Ahora marquen un punto cualquiera más a la derecha del ce-

---

[14] Aquí conviene decir que los números *reales* consisten en la unión del conjunto de los *racionales* y el de los *irracionales* (o sea, los que *no son racionales*).

ro. Ése va a ser el número 1 para ustedes. A partir de allí, uno puede construir los números *reales*. Cualquier otro punto de la recta está a una distancia del cero que está medida por la longitud del segmento que va desde el cero hasta el punto que usted eligió. Ese punto es un número real. Si está a la derecha del cero, es un número real positivo. Si está a la izquierda, es un número real negativo. Por ejemplo el 1/2 es el punto que está a la mitad de la distancia de la que usted marcó como 1. El (4/5) está a cuatro quintas partes del cero (es como haber partido el segmento que va desde el 0 hasta el 1 en cinco partes iguales, y uno se queda con el punto que queda al elegir las primeras cuatro).

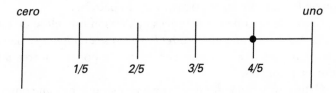

Está claro, entonces, que a cada punto del segmento que va entre el 0 y el 1, le corresponde un número real. Ese número real, puede ser *racional o irracional*. Por ejemplo, el número ($\sqrt{2}$ - 1) = 0.41421356.... es un número irracional que está en ese segmento. El número ($\pi/4$), también. Lo mismo que el número (e - 2).

Cantor tomó entonces el segmento [0,1]. Son todos los números reales del segmento *unitario*. Este conjunto es un conjunto *infinito de puntos*. Piénsenlo así: tomen el 1, dividan al segmento por la mitad: tienen el 1/2. Divídanlo ahora por la mitad: tienen el número (1/4). Divídanlo por la mitad: tienen el (1/8). Como se advierte, dividiendo por la mitad cada vez, uno obtiene siempre un punto que está en la mitad de la distancia del que tenía antes. Eso va generando una sucesión *infinita* de puntos: ($1/2^n$), *todos* los cuales están en el segmento [0,1].

Falta poco. Cantor dijo entonces: "voy a suponer que este

conjunto (segmento unitario) se puede *coordinar con los naturales*". O sea, supuso que *tenían el mismo cardinal*. Si esto fuera cierto, entonces debería haber una asignación (o lo que llamamos "las flechitas") entre los elementos del segmento [0,1] y los números naturales. Resultaría posible, como en los ejemplos anteriores, que podríamos poner en una *lista* a todos los elementos del segmento [0,1].

Y eso hizo:

1	$0, a_{11}\, a_{12}\, a_{13}\, a_{14}\, a_{15}\, a_{16}...$
2	$0, a_{21}\, a_{22}\, a_{23}\, a_{24}\, a_{25}\, a_{26}...$
3	$0, a_{31}\, a_{32}\, a_{33}\, a_{34}\, a_{35}\, a_{36}...$
4	$0, a_{41}\, a_{42}\, a_{43}\, a_{44}\, a_{45}\, a_{46}...$
...	
n	$0, a_{n1}\, a_{n2}\, a_{n3}\, a_{n4}\, a_{n5}\, a_{n6}...$

En este caso, lo que representan los distintos símbolos de la forma a_{pq}, son los dígitos del desarrollo de cada número. Por ejemplo, supongamos que éstos son los desarrollos decimales de los primeros números de la lista:

1	0,783798099937...
2	0,523787123478...
3	0,528734340002...
4	0,001732845...

Es decir,

$0, a_{11}\, a_{12}\, a_{13}\, a_{14}\, a_{15}\, a_{16}... = 0{,}783798099937...$
$0, a_{21}\, a_{22}\, a_{23}\, a_{24}\, a_{25}\, a_{26}... = 0{,}523787123478...$

y así siguiendo.

O sea, lo que Cantor hizo fue suponer que existe una manera de "poner flechitas", o de hacer "asignaciones", de manera tal que *todos los números reales* del segmento [0,1] estuvieran coordinados con los naturales.

Y ahora, la genialidad de Cantor: "voy a construir un número que *está* en el segmento [0,1], pero que *no está en la lista"*.
Y lo fabricó así: se construyó el número

$$A = 0, b_1 \; b_2 \; b_3 \; b_4 \; b_5 \; b_6 \; b_7 \; b_8 \ldots$$

Uno *sabe* que este número está en el segmento [0,1], porque empieza con 0,...
¿Pero quiénes son las letras b_k? Bueno, Cantor dijo:
Tomo

b_1 de manera que sea un dígito diferente de a_{11}
b_2 de manera que sea un dígito diferente de a_{22}
b_3 de manera que sea un dígito diferente de a_{33}
...
b_n de manera que sea un dígito diferente de a_{nn}

De esta forma, tengo garantizado que el número A no está en la lista. ¿Por qué? No puede ser el primero de la lista, porque el b_1 *difiere de* a_{11}. No puede ser el segundo, porque el b_2 difiere de a_{22}. No puede ser el tercero, porque el b_3 difiere de a_{33}. No puede ser el enésimo, porque el b_n difiere de a_{nn}.[15] Luego, Cantor se fabricó un número *real* que está en el segmento [0,1] *que no está en la lista*. Y esto lo pudo construir independientemente de cuál fuera la lista.

Es decir, si viene cualquier otra persona y le dice "yo tengo una lista diferente de la suya, y la mía sí funciona y contiene *todos los números reales del intervalo [0,1]"*, Cantor puede *aceptarle cualquier desafío, porque él puede construir un número real que debería estar en la lista, pero que no puede estar*.

---

[15] Para poder usar este argumento hay que saber que la *escritura decimal* de un número es *única*, pero se requeriría el uso de una herramienta un poco más sutil.

Y eso culmina la demostración, porque prueba que si uno quiere hacer una correspondencia biunívoca entre los números reales y los números naturales, *va a fracasar*. Cualquier lista que *presuma de tenerlos a todos* pecará por dejar alguno afuera. Y no hay manera de arreglarlo.[16]

Este método se conoce con el nombre de *método diagonal de Cantor*; fue uno de los saltos cualitativos más importantes de la historia, en términos de los conjuntos infinitos. A partir de ese momento, se supo entonces que había infinitos más grandes que otros.

La historia sigue y es muy profusa. Daría para escribir muchísimos libros sobre el tema (que de hecho están escritos). Pero sólo para dejarnos a todos con un sabor bien dulce en la boca, quiero proponerles pensar algunas cosas:

a) Supongamos que uno tiene un "dado" con *diez caras* y no seis, como los habituales. Cada cara tiene anotado un dígito, del 0 al 9. Supongamos que uno empieza a tirar el dado hacia arriba. Y va anotando el numerito que va saliendo. Empieza poniendo 0,... de manera que el resultado termine siendo un número real del intervalo [0,1]. Piensen lo siguiente: para que el resultado sea un número racional, el "dado" de diez caras tiene que empezar a repetirse a partir de un determinado momento, ya sea porque da siempre cero, o bien porque repite un *período*. En cualquier caso, si no repite o *no empieza a dar cero cons-*

---

[16] El número 0,0999999... y el número 0,1 son iguales. Es decir, para que dos números racionales sean iguales, no es necesario que lo sean dígito a dígito. Este problema se genera cada vez que uno "admite" que haya "infinitos" números *nueve* en el desarrollo decimal. Para que la "construcción" que hice del número que "no figura" en la lista sea *estrictamente correcta*, hay que *elegir un número que sea diferente de a_{ii} y de 9* en cada paso. Eso "evita", por ejemplo, que si uno tiene el número 0,1 en la lista, y empieza poniendo un 0 en el lugar a_{11} y luego elige *siempre* números 9, termina por construir el mismo número que figuraba en el primer lugar.

tantemente, es porque dio un número irracional. Si repite o empieza a dar siempre *cero* es racional. ¿Qué les parece que es más posible que pase? De las dos alternativas, ¿cuál les parece más factible? Esto sirve para que intuitivamente advirtamos *cuántos más son los irracionales que los racionales.*

b) Si uno tuviera una recta, y pudiera *excluir los racionales,* no se notarían virtualmente los agujeros. En cambio, si excluyéramos a los irracionales, *casi* no se verían los puntos que quedan. Tanto más grande en tamaño es el conjunto de los reales comparado con el de los naturales. (La palabra *casi* está usada adrede, porque no es que *no se verían los racionales sino que la idea que quiero dar es que los irracionales son muchísimos más que los racionales).*

c) Hay muchas preguntas para hacerse, pero la más inmediata es la siguiente: ¿es el conjunto de números reales el que tiene infinito más grande? La respuesta es no. Uno puede construirse conjuntos arbitrariamente grandes y con un cardinal infinito "más grande" que el anterior. Y este proceso no termina nunca.

d) Otra dirección de pregunta podría ser la siguiente: vimos recién que los reales *son más* que los naturales, pero ¿hay algún conjunto infinito que tenga cardinal más grande que el de los naturales y más chico que el de los reales? Este problema es un problema *abierto* de la matemática, pero se supone que no hay conjuntos infinitos *en el medio.* Sin embargo, *la hipótesis del continuo* dice que la matemática seguirá siendo consistente, se pruebe que hay o no hay conjuntos con infinitos más grandes que el de los naturales y más chicos que el de los reales.

Segmentos de distinta longitud

Como hemos visto reiteradamente en este libro, todo lo que
tenga que ver con los conjuntos infinitos es ciertamente fascinan-
te. La intuición es puesta a prueba y los sentidos también. La
famosa frase de Cantor ("lo veo, pero no lo creo") caracteriza
bien lo que nos ocurre cuando tropezamos con ellos (los conjuntos infinitos) las primeras veces.

Otro ejemplo muy ilustrativo es el de los segmentos.

Tomemos dos segmentos de *distinta longitud*. Llamémolos
[A,B] y [C,D]. Uno *sabe (¿sabe?)* que todo segmento tiene infinitos puntos. Si necesitan una confirmación, marquen el punto
medio del segmento. Ahora tienen dos segmentos iguales. Tomen
cualquiera de ellos, marquen el punto medio y continúen con el
proceso. Como advierten, *siempre* hay un punto en el medio de
dos y, por lo tanto, el número de puntos que contiene un segmento es *siempre infinito*.[17]

Lo interesante es preguntarse, ¿cómo se comparan los infinitos? Es decir, ¿quién tiene más puntos si dos segmentos tienen distintas longitudes como [A,B] y [C,D]? La respuesta es sorprendente también y es que *ambos tienen el mismo número de
puntos. Infinitos, ciertamente, pero el mismo número.* ¿Cómo
convencerse de esto?

Como ya hemos visto en el capítulo de los distintos tipos de
infinitos, es imposible tratar de *contar*. Necesitamos otros métodos de comparación. Y la herramienta que usé en otras partes, es la de las "asignaciones" o "flechitas" que unen los elementos de uno con los elementos de otro (recuerden el apareamiento
de números naturales con los enteros, o con los racionales, etcétera). En este caso, entonces, hago lo mismo.[18]

---

[17] Este argumento ya lo utilicé en el capítulo sobre los diferentes infinitos de
Cantor.

[18] Excluyo los segmentos que contienen un solo punto, lo que podríamos llamar un *segmento degenerado* [A,A]. Este segmento contiene *un solo punto: A*.

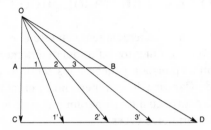

Ponemos los dos segmentos, [A,B] y [C,D], uno debajo del otro (como se ve en la figura). Colocamos un punto O más arriba, de manera tal de que queden ALINEADOS (es decir, encima de la misma recta) los puntos O, B y D, y por otro lado, también están alineados los puntos O, A y C. Para ver que ambos segmentos tienen el número de puntos, necesitamos "aparear" o "trazar flechitas" entre los puntos de uno y otro segmento. Por ejemplo, al punto 1 le corresponde al punto 1', porque lo que hacemos es trazar DESDE O, un segmento que empiece en O y pase por 1. El punto en donde "corta" al segmento [C,D], lo llamamos 1'. De la misma forma, si queremos averiguar cuál es el que le corresponde al punto 2, hacemos lo mismo: trazamos el segmento que une al punto O con el punto 2, y nos fijamos en qué punto "corta" al segmento [C,D]. A ese punto, lo llamamos 2'. Es evidente entonces, que para cada punto del segmento [A,B], repitiendo el proceso explicado arriba, le corresponde un punto del segmento [C,D]. Y viceversa: dado el punto 3' en el segmento [C,D], si queremos saber qué punto del segmento [A,B] le corresponde, "unimos" ese punto 3' con el punto O , y el lugar en donde corta a [A,B], lo llamamos 3. Y listo.

Este hecho, naturalmente, atenta contra la intuición, porque se desprende que un segmento que una la parte externa de la página que ustedes están leyendo con la parte interna, tiene *la misma cantidad de puntos que un segmento que una la Ciudad de Buenos Aires con la de Tucumán*. O un segmento que una la Tierra con la Luna.

Un punto en un segmento

Les propongo el siguiente ejercicio para comprobar su familiaridad con los *grandes números*.

1) Tomen una hoja y algo con qué escribir.

2) Tracen un segmento (háganlo grande, no ahorren papel justo ahora, aunque el ejemplo funciona igual).

3) Pongan el número *cero* en el extremo izquierdo de su segmento.

4) Pongan el número un billón en el extremo derecho.

Es decir, ustedes van a suponer que el segmento que dibujaron mide un billón. Marquen en el mismo segmento el número mil millones. ¿Dónde lo pondrían?

La respuesta, en las páginas de soluciones.

Suma de las inversas de las potencias de 2 (suma infinita)

Supongamos que dos personas (A y B) están paradas a dos metros de distancia, una de otra. Ambas personas van a ser *virtuales*, en el sentido de que funcionarán como *puntos*, como los extremos de un segmento. Este segmento va a tener dos metros de distancia.

Ahora el señor A va a empezar a caminar hacia B, pero no lo va a hacer en forma libre, sino que va a seguir las siguientes instrucciones: cada paso que dé va a cubrir exactamente la *mitad de la distancia* de lo que le falta recorrer para llegar hasta B. Es decir, el primer paso que A va a dar será de *un metro* (ya que la distancia que lo separa de B es de dos metros).

Luego el señor A (que ahora esta parado en la mitad del segmento [A,B] va a seguir caminando y su próximo paso va a ser medio metro (1/2 = 0,5) porque la distancia que le falta recorrer hasta llegar a B es justo un metro (y la instrucción para él es bien precisa: sus pasos son siempre la *mitad del terreno que le falta recorrer*).

Una vez que A haya dado ese paso, estará parado en el punto 1,5. Como estará a medio metro de B, su paso siguiente será de 0,25 centímetros (1/4 que es la mitad de 1/2). Y cuando llegue estará a 1,75 de distancia del lugar de origen.

El señor A sigue caminando. Sus próximos pasos van a ser: 1/8, 1/16, 1/32, 1/64, 1/128, 1/256, 1/512, 1/1024, etcétera.

Como ustedes advierten, el señor A *no va a llegar nunca a*

destino (si es que su destino era llegar hasta el señor B). No importa cuánto tiempo camine, sus pasos van a ser cada vez más pequeños (en realidad, cada vez se verán reducidos a la mitad), pero si bien *siempre va a avanzar* (lo que no es poco decir) y, además, va a avanzar *nada menos* que la mitad de lo que le falta, el pobre A no va a llegar nunca a destino.

Por otro lado, los pasos que da el señor A son siempre hacia adelante, por lo que A está cada vez más cerca de B.

Uno podría poner todo esto en números y decir lo siguiente:

$$1 = 1 = 2 - 1$$
$$1 + 1/2 = 3/2 = 2 - 1/2$$
$$1 + 1/2 + 1/4 = 7/4 = 2 - 1/4$$
$$1 + 1/2 + 1/4 + 1/8 = 15/8 = 2 - 1/8$$
$$1 + 1/2 + 1/4 + 1/8 + 1/16 = 31/16 = 2 - 1/16$$
$$1 + 1/2 + 1/4 + 1/8 + 1/16 + 1/32 = 63/32 = 2 - 1/32$$
$$1 + 1/2 + 1/4 + 1/8 + 1/16 + 1/32 + 1/64 = 127/64 = 2 - 1/64$$

Supongo que ustedes habrán advertido ya un patrón (que es en definitiva lo que hacemos los matemáticos... no necesariamente con éxito). Las sumas van siendo cada vez mayores y los resultados que se van obteniendo con estas *sumas parciales* de pasos del señor A, son cada vez números más grandes. Es decir, estamos construyéndonos una sucesión de números *estrictamente creciente* (en el sentido de que van creciendo en cada renglón). Por otro lado, es claro que no sólo crecen sino que podemos saber, además, *cómo crecen*, porque cada vez están más cerca de 2. Si uno mira los resultados de la columna de la derecha, uno advierte que queda:

$$2-1$$
$$2-1/2$$
$$2-1/4$$
$$2-1/8$$

2-1/16
2-1/32
2-1/64...

... así es que de estos hallazgos uno podría sacar varias moralejas pero, en principio, quiero establecer dos hechos:

a) uno puede sumar números positivos indefinidamente y la suma no se hace un número arbitrariamente grande. En este ejemplo, es claro que la suma de todos esos números (si es que uno hipotéticamente pudiera *sumar infinitamente*) no superaría a dos. Es más: si uno *efectivamente pudiera* sumar infinitamente, el resultado final *sería dos*.

b) Este proceso asegura que a medida que el señor A va caminando, uno puede acercarse a un número *tanto como quiera* (en este caso al *dos*), pero nunca llegar. La distancia que separa al señor A de B es cada vez más pequeña, y se puede hacer tan pequeña como yo quiera, pero A *nunca llega a tocar a* B.

Esto que hemos visto aquí encubre varias nociones importantes y profundas de la matemática, pero la más importante es la de límite, que fue un descubrimiento conjunto hecho por Newton y Leibniz al empezar el siglo XVIII, uno en Inglaterra y el otro en Alemania.

Y con esta noción cambió el mundo de la ciencia para siempre.

Personajes

Por qué uno no entiende algo

Esta breve historia reproduce lo que escribió un amigo íntimo que falleció ya hace muchos años: Ricardo Noriega. Ricardo fue un matemático argentino, fallecido a una edad muy temprana, especialista en geometría diferencial. Trabajó durante muchos años con Luis Santaló[19] y, más allá de sus condiciones profesionales, fue un tipo bárbaro. Siempre de buen humor, educado y muy generoso con su tiempo y en la actitud siempre paternal con alumnos y otros colegas. Un gran tipo.

Con él estudié cuando ambos éramos jóvenes. En su libro *Cálculo Diferencial e Integral* escribió sobre una idea que me subyugó siempre: ¿por qué uno no entiende algo? ¿Y por qué lo entiende después? ¿Y por qué se lo olvida más tarde?

Ricardo escribió, y no lo voy a parafrasear porque prefiero contar mi propia versión:

"Muchas veces, cuando uno está leyendo algo de matemática tropieza con un problema: no entiende lo que leyó. Entonces, para, piensa y relee el texto. Y la mayoría de las veces, sigue sin entender. Uno no avanza. Quiere comprender, pero no puede. Lee el párrafo nuevamente. Piensa. Y dedica mucho tiem-

---

[19] Santaló fue uno de los geómetras más importantes de la historia. Nació en España, pero escapando de la guerra civil española, pasó la mayor parte de su vida en la Argentina. Fue un verdadero maestro y sus contribuciones tanto personales como profesionales son invalorables.

po (eventualmente)… hasta que de pronto… entiende…. algo se abre en el cerebro de uno, algo se conecta… y uno *pasa a entender*. ¡Uno entiende! Pero no es todo: lo maravilloso es que uno *no puede entender por qué no entendía antes*".

Ésa es una reflexión que merece en algún momento una respuesta. ¿Qué nos detiene? ¿Por qué no entendemos en un momento y después sí? ¿Por qué? ¿Qué pasa en nuestro cerebro? ¿Qué conexiones se producen? ¿Qué es lo que juega para que durante un buen rato no entendamos algo y, de pronto, se produzca un "click" y pasemos a entender? ¿No es maravilloso ponerse a pensar por qué uno no entendía antes? ¿Se podrá reproducir esto? ¿Se podrá utilizar para cooperar con la comprensión de otra persona? ¿Servirá la experiencia de uno para mejorar la velocidad y profundidad de aprendizaje de otro?

Conversación entre Einstein y Poincaré

Creo que no hace falta que presente a Einstein. Pero sí creo que merece algunas palabras Poincaré, no porque hubiera sido menos importante su aporte a la ciencia de fines del siglo XIX y principios del XX, sino porque sus trabajos y trayectoria son menos conocidos por el público en general.

Los medios se han ocupado (y con justa razón) de ubicar a Einstein como una de las personas más famosas de la historia. Es difícil encontrar a alguien que sepa leer y escribir y no sepa quién fue Einstein. Pero supongo que no yerro si digo que el número de personas que desconocen a Einstein coincide con el número de los que conocen a Poincaré. Y quizá exagero…

Henri Poincaré nació el 28 de abril de 1854 en Nancy (Francia) y murió el 17 de julio de 1912 en París. Era ambidiestro y miope. Sufrió de difteria durante buena parte de su vida y eso le trajo severos problemas motrices y de coordinación. Pero Poincaré es considerado una de las mentes más privilegiadas que pobló la Tierra. Se dedicó a la matemática, la física y la filosofía y se lo describe como el último de los "universalistas" (en el sentido de que con su conocimiento lograba borrar las fronteras entre las ciencias que investigaba).

Contribuyó en forma profusa a diversas ramas de la matemática, mecánica celeste, mecánica de fluidos, la teoría especial de la relatividad y la filosofía de la ciencia.

Aún hoy permanece sin respuesta su famosa conjetura sobre la existencia de *variedades tridimensionales sin borde con grupo de homotopía nulo y que no fueran homeomorfas a la esfera en cuatro dimensiones.*

Más allá de haber entendido el enunciado, cosa que posiblemente no ocurrió salvo para un grupo muy reducido de personas, especialistas en el tema, el hecho es que Poincaré conjeturó este resultado cuya demostración ha eludido a los mejores matemáticos del mundo desde hace más de un siglo.[20]

Toda esta introducción me permite ahora presentar un diálogo entre dos de las figuras más prominentes de la ciencia en la primera mitad del siglo xx, poniendo énfasis en una discusión eterna entre la matemática y la física. Aquí va.

Einstein: –Vos sabés, Henri, al principio, yo estudiaba matemática. Pero dejé y me dediqué a la física...

Poincaré: –Ah... No sabía, Alberto. ¿Y por qué fue?

Einstein: –Bueno, lo que pasaba era que si bien yo podía darme cuenta de cuáles afirmaciones eran verdaderas y cuáles eran falsas, lo que no podía hacer era decidir cuáles eran las importantes....

Poincaré: –Es muy interesante lo que me decís, Alberto, porque, originalmente, yo me había dedicado a la física, pero me cambié al campo de la matemática...

---

[20] En mayo de 2005, anda dando vuelta una potencial demostración de esta conjetura, pero aún no ha sido *oficialmente* aceptada por la comunidad matemática.

Einstein: −¿Ah, sí? ¿Y por qué?

Poincaré: −Porque si bien yo podía decidir cuáles de las afirmaciones eran importantes y separarlas de las triviales, mi problema... ¡es que nunca podía diferenciar las que eran ciertas!

Fleming y Churchill[21]

Su nombre era Fleming, un granjero escocés pobre. Un día, mientras intentaba ganar el pan para su familia, oyó un lamento pidiendo ayuda que provenía de un pantano cercano.

Dejó caer sus herramientas y corrió hacia el lugar. Allí encontró, hundido hasta la cintura, dentro del estiércol húmedo y negro del pantano, a un muchacho aterrorizado, gritando y esforzándose por liberarse. El granjero Fleming salvó al muchacho de lo que podría haber sido una agonía lenta y espantosa.

Al día siguiente, llegó a la granja un carruaje muy ostentoso que traía a un noble, elegantemente vestido, que bajó y se presentó como padre del muchacho salvado por el granjero Fleming.

−Quiero recompensarlo −dijo el noble−. Usted salvó la vida de mi hijo.

−No, yo no puedo aceptar un pago por lo que hice. Era mi deber −contestó el granjero escocés.

En ese momento, el hijo del granjero se acercó a la puerta de la cabaña.

−¿Ese que asoma ahí es su hijo? −preguntó el noble.

−Sí −contestó el granjero orgulloso.

−Le propongo entonces hacer un trato. Permítame proporcionarle a su hijo el mismo nivel de educación que mi hijo re-

---

[21] Esta historia me la envió Gerardo Garbulsky, un ex alumno y muy buen amigo mío. Gerry siempre tuvo un ojo atento y sensible para la ciencia y sus aplicaciones, y gracias a él supe de esta historia.

cibe. Si el muchacho se parece a su padre no dudo que crecerá hasta convertirse en el hombre del que ambos estaremos orgullosos.

Y el granjero aceptó.

El hijo del granjero Fleming asistió a las mejores escuelas y luego de un tiempo se graduó en la Escuela Médica del Saint Mary's Hospital, en Londres, convirtiéndose en un renombrado científico conocido en todo el mundo por el descubrimiento que revolucionó el tratamiento de las infecciones: la penicilina.

Años después, el hijo del mismo noble que fue salvado de la muerte en el pantano enfermó de pulmonía. ¿Qué salvó su vida esta vez? La penicilina, ¡¡¡por supuesto!!!

¿El nombre del noble? Sir Randolph Churchill...

¿El nombre de su hijo? Sir Winston Churchill.

Los matemáticos hacemos razonamientos, no números

Luis Caffarelli me dio una serie de ejemplos sobre el trabajo de los matemáticos, que quiero compartir aquí. Caffarelli es uno de los mejores matemáticos argentinos de la historia (y casi con seguridad el mejor hoy, en 2005). A él le pedí que me diera argumentos para publicar sobre lo que hacía un matemático profesional. Lo primero que hizo fue darme el título que utilizo para este capítulo.

Pero antes de compartir sus reflexiones, vale la pena recordar que Caffarelli nació en 1948, obtuvo el título de licenciado en matemática cuando tenía veinte años y se doctoró cuando tenía veinticuatro. En 1994 fue nombrado miembro de la Academia Pointificia de Ciencias, una institución creada en 1603, que cuenta con sólo ochenta miembros en todo el mundo. Ser integrante de esta Academia implica una extraordinaria calidad científica. Es, o fue, profesor en el Courant en Nueva York, en la Universidad de Chicago, en el MIT, en Berkeley, en Stanford, en la Universidad de Bonn y por supuesto, en la Universidad de Princeton en Nueva Jersey, el centro de excelencia mundial donde hicieron parte de sus investigaciones Einstein, Von Neumann, Alan Turing, John Nash, entre muchos otros.

Una anécdota personal: Caffarelli y yo fuimos ayudantes de una materia en la facultad de Ciencias Exactas y Naturales sobre el final de la década de 1960. La materia se llamaba Funciones Reales I. Necesitábamos preparar ejercicios para las prácticas y los exámenes. La materia presentaba un constante desafío, no sólo para los estudiantes, sino también para los docentes. En esencia, era la primera materia del ciclo superior para los estudiantes de matemática. Un viernes, al finalizar la clase, quedamos en que cada uno pensaría problemas durante el fin de semana y nos encontraríamos el lunes siguiente para discutirlos. Y así fue. Yo hice mi parte, y traje cinco problemas. Caffarelli también hizo la suya. Pero con una diferencia. Trajo 123. Sí, ciento veintitrés. Algo más: nunca hubo un gesto de arrogancia o de superioridad. Para él la matemática es algo natural, que fluye por su vida como el aire que respira cualquiera de nosotros. Sólo que él piensa diferente, ve distinto, imagina de otra forma. Sin duda, una mente privilegiada. Ahora sí, vamos a lo que hace un matemático profesional de acuerdo con Luis Caffarelli:

Estudiar lo que sucede con el whisky y los cubitos de hielo está relacionado con el impacto de una nave espacial cuando reingresa en la atmósfera, con la explosión demográfica y con la predicción climática.

El investigador genera un modelo matemático de un sistema, presume que éste refleja la realidad, y testea los resultados de un simulador numérico para ver si sus cuentas son acertadas o no.

En el caso del cubito de hielo, se analiza la superficie de con-

tacto del hielo con el agua. Si es estable, se estudia qué pasaría si echáramos un chorrito más de whisky, si se produciría un cambio dramático en el sistema, si se va a derretir el hielo, etcétera.

Lo mismo sucede cuando uno estudia el flujo de aire alrededor del ala de un avión, o la dinámica demográfica. El matemático trata de encontrar ecuaciones que representen estos problemas e introducir factores de corrección adecuados para representar el fenómeno que se pretende estudiar.

La relación entre las matemáticas y la sociedad se pone de manifiesto cuando uno enciende la TV, recibe un fax, manda un e-mail, enciende un microondas y la comida se calienta. Pero los científicos que pensaron acerca de los fenómenos básicos del horno a microondas, no intentaban resolver el problema de calentar la mamadera de un chico, sino en qué interesante sería comprender cómo se excitan las moléculas frente a un cierto efecto.

Más adelante, le pedí que hiciera una reflexión respecto de los problemas de comunicación entre los científicos y la sociedad que los cobija:

No es que exista una escisión entre ciencia y sociedad, sino que la gama de relaciones es muy extensa y tortuosa y a menudo no es obvia. La ciencia está muy relacionada con la sociedad, lo que pasa es que cada vez hace falta más especialización para llegar a ella.

En el futuro las ciencias se van a matematizar más todavía. Hay un desafío inmenso para entender las cosas, para matematizarlas y entender por qué son así. Las matemáticas tratan de sintetizar qué tienen en común cosas dispares para luego poder decir: éste es el fenómeno y éstas son variaciones de la misma fórmula.

Las paradojas de Bertrand Russell

Bertrand Russell vivió 97 años: desde 1872 hasta 1970.[22] Nació en Inglaterra como miembro de una familia muy rica y ligada con la realeza británica. Vivió una vida llena de matices, abogó en contra de la guerra, peleó contra la religión (cualquier manifestación de ella), estuvo preso en varias oportunidades, se casó cuatro veces (la última a los 80 años) y tuvo múltiples experiencias sexuales de las que siempre se manifestó orgulloso. Si bien fue uno de los grandes pensadores y matemáticos del siglo XX, ganó un premio Nobel de *Literatura* en 1950. Fue profesor en Harvard, en Cambridge y en Berkeley.

En fin: fue un sujeto muy especial. Ahora bien: escapa al objetivo de este libro contar todos sus logros dentro del terreno de la lógica. Pero sin ninguna duda, uno de los capítulos más interesantes tiene que ver con su célebre paradoja *de los conjuntos que no se contienen a sí mismos como elementos.*

Antes de que pase a la sección siguiente, le propongo que me siga con tres ejemplos. Y después volvemos sobre el tema.

A) SOBRE LOS BARBEROS EN ALTA MAR

Un barco sale lleno de marineros y se dirige a una misión que lo tendrá muchos días en alta mar. El capitán advierte con disgusto que alguno de los integrantes del barco no se afeitan todos los días. Y como en el barco había un marinero-barbero, lo convoca a su camarote y le da la siguiente instrucción:

"Desde mañana, toda persona del barco que no se afeite a sí misma, la afeita usted. A los que quieren afeitarse solos, no hay

---

[22] Hay una excelente biografía de Russell (*The Life of Bertrand Russell –La vida de Bertrand Rusell–* publicada en 1976 en la que aparece una pintura perfecta de esta personalidad del siglo XX).

problemas. Usted ocúpese de los que no lo hacen. Es una orden".

El barbero se retiró y a la mañana siguiente, ni bien se despertó (aún en su camarote), se dispuso a cumplir la orden del capitán. Pero antes, naturalmente, fue hasta el baño. Cuando se disponía a afeitarse, se dio cuenta de que *no podía hacerlo,* porque el capitán había sido muy claro: él sólo podía afeitar a los que no se afeitaban a sí mismos. O sea, que en tanto que barbero no podía intervenir en afeitarse. Debía dejarse la barba para no infringir la norma de sólo afeitar a los que no se afeitan a sí mismos. Pero al mismo tiempo, advirtió que no podía dejarse crecer la barba porque incumpliría también la orden del capitán, que le dijo que no permitiera que ningún integrante del barco no se afeitara. Él, entonces, tenía que afeitarse.

Desesperado porque ni podía afeitarse (porque el capitán le dijo que sólo se ocupe de los que no se afeitaban a sí mismos) ni podía dejarse la barba (ya que el capitán no lo hubiera tolerado), el barbero decidió tirarse por la borda (o pedirle a alguien que lo afeite a él...)

B) SOBRE QUIEN DEBÍA MORIR AHORCADO

En una ciudad en donde las cosas erradas se pagaban caras, el rey decidió que una persona debía ser ejecutada. Y para ello, decidió ahorcarlo. Para darle un poco más de sabor, colocaron en dos plataformas dos horcas. A una la llamaron "altar de la verdad" y a la otra, "el altar de la mentira".

Cuando estuvieron frente al reo, le explicaron las reglas:

"Tendrás oportunidad de decir tus últimas palabras, como es de estilo. De acuerdo con que lo que digas sea verdad o mentira, serás ejecutado en este altar (señalando el de la verdad) o en el otro. Es tu decisión".

El preso pensó un rato y dijo que estaba listo para pronunciar sus últimas palabras. Se hizo silencio y todos se prepararon para escucharlo. Y dijo: "ustedes me van a colgar en el altar de la mentira".

"¿Es todo?", le preguntaron.

"Sí", respondió.

Los verdugos se acercaron a esta persona y se dispusieron a llevarla al altar de la mentira. Cuando lo tuvieron al lado, uno de ellos dijo:

"Un momento por favor. No podemos colgarlo acá, porque si lo hiciéramos sus últimas palabras habrían sido ciertas. Y para cumplir con las reglas, nosotros le dijimos que lo colgaríamos de acuerdo con la validez de sus últimas palabras. Él dijo que 'lo colgaríamos en el altar de la mentira'. Luego, allí no podemos colgarlo porque sus palabras serían ciertas".

Otro de los que participaba arriesgó: "Claro. Corresponde que lo colguemos en el altar de la verdad".

"Falso", gritó uno de atrás. "Si fuera así, lo estaríamos premiando ya que sus últimas palabras fueron mentira. No lo podemos colgar en el altar de la verdad".

Ciertamente confundidos, todos los que pensaban ejecutar al preso se trenzaron en una discusión eterna. El reo escapó y hoy escribe libros de lógica.

c) DIOS NO EXISTE

Seguramente, de todas las maneras de presentar la paradoja de Bertrand Russell, ésta es la más llamativa. Se pretende probar que Dios no existe, nada menos.

Pongámonos primero de acuerdo con lo que quiere decir Dios. Por definición, la existencia de Dios está igualada con la existencia de un ser todopoderoso. En la medida en que nosotros podamos probar que *nada ni nadie puede ser omnipotente*, entonces, nadie podrá adjudicarse el "ser Dios".

Vamos a probar esto "por el absurdo"; o sea, vamos a suponer que el resultado es cierto y eso nos va a llevar a una contradicción.

Supongamos que Dios existe. Entonces, como hemos dicho, en tanto que Dios, debe ser todopoderoso. Lo que vamos a hacer es probar que *no puede haber nadie todopoderoso*. O lo que es lo mismo: no puede haber nadie que tenga *todos los poderes*.

Y hacemos así: si existiera alguien que tuviera todos los poderes, debería tener el poder de hacer piedras muy grandes. No le puede faltar este poder, porque si no, ya demostraría que no es todopoderoso. Entonces, concluimos que *tiene* que tener el poder de hacer *piedras muy grandes*. No sólo tiene que tener el poder de hacer piedras muy grandes, sino que tiene que ser capaz de hacer piedras *que él no pueda mover...* no le puede faltar este poder (ni ningún otro si vamos al caso). Luego, tiene que ser capaz de hacer piedras y que esas piedras sean muy grandes. Tan grandes, que eventualmente él no las pueda mover.

Ésta es la contradicción, porque si hay piedras que él no pueda mover, eso significa que le falta un poder. Y si tales piedras no las puede hacer, eso significa que le falta ese poder. En definitiva, cualquiera que pretenda ser todopoderoso adolecerá de un problema: o bien le falta el poder de hacer piedras tan grandes que él no pueda mover, o bien existen piedras que él no puede mover. De una u otra forma, no puede haber nadie *todopoderoso* (y eso era lo que queríamos probar).

Ahora bien. Una vez que hemos visto estas tres manifestaciones de la paradoja de Bertrand Russell, pensemos qué hay detrás.

En principio, un problema no trivial es dar una definición *correcta* de lo que es un *conjunto*. Si uno trata de hacerlo (y lo invito a que pruebe), termina usando algún sinónimo: *una colección, un agrupamiento, un agregado,* etcétera.

De todas formas, aceptemos la definición *intuitiva de lo que es un conjunto,* digamos, una *colección* de objetos que distinguimos por alguna característica: todos los números enteros, todos mis hermanos, los equipos que participaron en el último mundial de fútbol, las pizzas grandes que comí en mi vida, etcétera.

En general, "los elementos" de un conjunto, son los "miembros", los "que pertenecen". Si uno sigue con los ejemplos del párrafo anterior, los "números enteros" son los elementos del primer conjunto, "mis hermanos" son los elementos del segundo, la lista de países que participaron del último mundial serían los elementos del tercero, cada una de las pizzas que comí, son los elementos del cuarto, etcétera.

Uno suele denominar o llamar un conjunto con una letra mayúscula (por ejemplo: A, B, X, N) y a los elementos de cada conjunto, los pone "entre llaves":

A = {1,2,3,4,5}
B = {Argentina, Uruguay, Brasil, Chile, Cuba, Venezuela, México}
C = {Laura, Lorena, Máximo, Alejandro, Paula, Ignacio,
        Viviana, Sabina, Brenda, Miguel, Valentín}
N = {números naturales} = {1, 2, 3, 4, 5,..., 173, 174, 175...}
P = {números primos} = {2, 3, 5, 7, 11, 13, 17, 19, 23, 29, 31...}
M = {{Néstor y Graciela}, {Pedro y Pablo}, {Timo y Betty}}
L = {{Números Pares}, {Números Impares}}

Algunos conjuntos son finitos, como A, B y C. Otros son infinitos, como N y P.

Algunos conjuntos tienen como elementos a otros conjuntos, como M, que tiene como miembros a "parejas".

L, en cambio, tiene dos elementos, que son conjuntos a su vez. Es decir, *los elementos de un conjunto pueden ser conjuntos también.*

Una vez hechas todas las presentaciones, quiero plantear lo que se preguntó Russell:

"¿Puede un conjunto *tenerse a sí mismo como elemento*?"

Russell escribió: "me parece que hay una clase de conjuntos que sí y otra clase que no". Y dio como ejemplo el conjunto de las cucharitas de té. Obviamente, el conjunto de todas las cucharitas de té *no es una cucharita*, y por lo tanto, *no se contie-*

ne a sí mismo como elemento. De la misma forma, *el conjunto de todas las personas que habitan la Tierra* no es una persona, y, por lo tanto, *no es un elemento de sí mismo*.

Aunque parezca antiintuitivo, Russell pensó también en conjuntos que *sí se contienen a sí mismos como elementos*. Por ejemplo: el conjunto de todas las cosas que *no son cucharitas de té*. Este conjunto es el que contiene cucharitas, sí, pero no de té, tenedores, jugadores de fútbol, pelotas, almohadas, aviones de distinto tipo, etcétera. Todo, *menos cucharitas de té*.

Lo que queda claro es que este nuevo conjunto (el que consiste en todo lo que *no sea una cucharita de té*) ¡no es una cucharita de té! Y por lo tanto, como no es una cucharita de té, *tiene que ser un elemento de sí mismo*.

Otro ejemplo que dio Russell es el siguiente: llamemos A al conjunto de todos los conjuntos que pueden describir sus miembros usando veinte palabras o menos. (En realidad, Russell lo planteó en inglés, pero para este argumento, poco importa.)

Por ejemplo, el conjunto de "todos los libros de matemática", es un elemento de A, ya que se usan sólo cinco palabras para describir los elementos de él. De la misma forma, "todos los animales de la Patagonia" también es un elemento de A. Y el conjunto de "todas las sillas que hay en Europa" es otro elemento de A.

Ahora bien, los invito a pensar lo siguiente: ¿pertenece A a sí mismo? Es decir: ¿es A un elemento de sí mismo? Para que esto sea cierto, los elementos de A deberían poder ser descriptos usando veinte palabras o menos. Y justamente, hemos definido a A como el conjunto cuyos elementos son "conjuntos cuyos elementos puedan ser descriptos usando veinte palabras o menos". De esta forma, A resulta un subconjunto de sí mismo.

A partir de este momento, entonces, podemos considerar dos clases de conjuntos: los que se contienen a sí mismos como elementos y los que no.

Hasta acá, todo bien. Pero Russell dio un paso más. Consideró

R = "el conjunto de todos los conjuntos que no se contienen a sí mismos como elementos"

= {todos los conjuntos que no se contienen a sí mismos como elementos} (**)

Por ejemplo, R tiene como elementos al conjunto de "todas las capitales de países sudamericanos", al conjunto de "todos mis hermanos", "todos los canguros de Australia", etcétera. Y muchos más, obviamente.

Y por fin, *la* pregunta (del millón):

"¿Es R un conjunto que se contiene a sí mismo como elemento?"

Analicemos las dos posibles respuestas.

a) Si la respuesta es sí, entonces R se contiene a sí mismo como elemento. O sea, R es un elemento de R. Pero como se ve en (**), R *no puede ser elemento de sí mismo, porque si lo fuera, no podría ser un elemento de R.* Luego, R no puede ser un elemento de sí mismo.

b) Si la respuesta es no, o sea, R no es un elemento de sí mismo, *entonces R debería pertenecer a R,* ya que R está formado, justamente, por los conjuntos que *no se contienen a sí mismos como elementos.*

Este problema es el que subyace en los tres ejemplos que presenté al principio de este capítulo. Es la *paradoja de Bertrand Russell.*

Parece imposible decidir si el conjunto cuyos elementos son los conjuntos que no se contienen a sí mismos como elementos *pertenece o no pertenece al conjunto.*

Luego de muchos años, los científicos dedicados a la investigación en lógica se pusieron de acuerdo en establecer que cualquier conjunto que se tuviera a sí mismo como elemento *no es un conjunto,* y de esa forma resolvieron (en apariencia) la discusión. En realidad, el problema quedó escondido "debajo de la alfombra".

Biografía de Pitágoras

Pitágoras de Samos es considerado un profeta y místico, nacido en Samos, una de las islas Dodecanesas, no muy lejos de Mileto, el lugar en donde nació Tales. Algunos pintan a Pitágoras como alumno de Tales, pero eso no parece muy probable debido a la diferencia de casi medio siglo entre ambos. Lo que sí es muy probable es que Pitágoras haya ido a Babilonia y a Egipto, e incluso a la India, para tener información de primera mano sobre matemática y astronomía, y eventualmente, también sobre religión.

Pitágoras fue, casualmente, contemporáneo de Budha, de Confucius y de Lao-Tze, de manera que el siglo estaba en plena ebullición tanto desde el punto de vista de la religión, así como de la matemática.

Cuando retornó a Grecia, se estableció en Crotón, en la costa sudeste de lo que ahora es Italia, pero en ese momento se conocía como "La Magna Grecia". Ahí estableció una sociedad secreta que hacía recordar un culto órfico salvo por su base matemática y filosófica.

Que Pitágoras permanezca como una figura oscura se debe en parte a la pérdida de todos los documentos de esa época. Algunas biografías de Pitágoras fueron escritas en la antigüedad, inclusive por Aristóteles, pero no sobrevivieron. Otra dificultad en identificar claramente la figura de Pitágoras obedece al hecho de que la orden que él estableció era comunal y secreta. El conocimiento y la propiedad eran comunes, de manera tal que la atribución de los descubrimientos no se le hacía a alguien en particular, sino que era considerado patrimonio del grupo. Es por eso que es mejor no hablar del trabajo de Pitágoras, sino de las contribuciones de "los pitagóricos".

EL TEOREMA DE PITÁGORAS

Hace muchos años, Carmen Sessa, mi amiga y extraordinaria referente en cualquier tema que tenga que ver con la matemática, me acercó un sobre con varias demostraciones del Teorema de Pitágoras. No recuerdo de dónde las había sacado, pero ella estaba entusiasmada al ver cuántas maneras distintas había de comprobar un mismo hecho. Es más: tiempo después supe que hay un libro (*The Pythagorean Proposition*) que contiene 367 pruebas de este teorema y que fue reeditado en 1968.

De todas formas, y volviendo a las pruebas que me había dado Carmen, hubo una que me dejó fascinado por su simpleza. Mas aún: a partir de ese momento (última parte de la década del 80) nunca paro de repetirla. Y de disfrutarla. Aquí va:

Se tiene un triángulo rectángulo T, de lados *a*, *b* y *h*. (Se llama triángulo rectángulo a un triángulo en el que uno de los ángulos es de 90 grados, también llamado ángulo recto.)

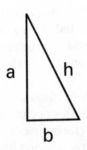

Imaginemos que el triángulo T está hecho "pegando" tres hilos. Supongamos que se le puede "cortar" el lado *h*, y que uno puede "estirar" los lados *a* y *b*.

Con este nuevo "lado", de longitud (a+b), fabricamos dos cuadrados iguales. Cada lado del cuadrado mide (a+b).

Marcamos en cada cuadrado los lados *a* y *b,* de manera tal de poder dibujar estas figuras:

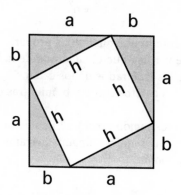

Ahora, observemos en cada cuadrado cuántas veces aparece el triángulo T (para lo cual hay que marcar en un dibujo los cuatro triángulos T en cada cuadrado).

Como los cuadrados son iguales, una vez que hemos descubierto los cuatro cuadrados en cada uno de ellos, la superficie que queda "libre" en cada uno *tiene* que ser la misma.

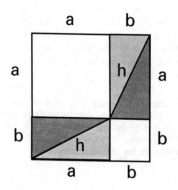

En el primer cuadrado, quedan dos "cuadraditos" de superficies a^2 y b^2 respectivamente. Por otro lado, en el otro cuadrado, queda dibujado un "nuevo" cuadrado de área h^2.

Conclusión: "tiene" que ser

$$a^2 + b^2 = h^2$$

que es justamente lo que queríamos probar: "en todo triángulo rectángulo se verifica que el cuadrado de la hipotenusa es igual a la suma de los cuadrados de los catetos".

En este caso, los catetos son a y b, mientras que la hipotenusa es h.

¿No es una demostración preciosa? Es sólo producto de una idea maravillosa que no requiere ninguna herramienta complicada.[23] Sólo sentido común.[24]

Historia de Carl Friedrich Gauss

Muchas veces solemos decirles a los jóvenes que lo que están pensando está mal, simplemente porque no lo están pensando como lo pensamos nosotros. Así les enviamos un mensaje en-

---

[23] Este teorema fue descubierto en una escritura en Babilonia, entre 1900 y 1600 antes de Cristo. Pitágoras vivió entre 560 y 480 antes de Cristo, pero si bien se le adjudica a él la solución del problema, no está claro si fue él o alguno de sus discípulos. E incluso esta posibilidad tampoco es necesariamente cierta.

[24] El teorema es *reversible*, en el sentido de que si un triángulo de lados *a*, *b* y *h*, cumple con la ecuación

$$a^2 + b^2 = h^2$$

entonces, el triángulo tiene que ser rectángulo. Piensen que éste es un resultado muy interesante. Es que podría pasar que fuera cierto el teorema de Pitágoras para otros triángulos que no fueran rectángulos. Sin embargo, lo que dice este apartado es que la propiedad de que el cuadrado de la hipotenusa sea igual a la suma de los cuadrados de los catetos, "caracteriza" a un triángulo: lo obliga a ser rectángulo.

loquecedor, equivalente al que hacemos cuando les enseñamos a hablar y caminar en los primeros doce meses de vida, para pedirles que se queden callados y quietos en los siguientes doce años.

El hecho es que esta historia tiene que ver con alguien que pensó diferente. Y en el camino, resolvió un problema en forma impensada (para el docente). La historia se sitúa alrededor de 1784, en Brunswick, Alemania.

Una maestra de segundo grado de la escuela primaria (de nombre Buttner, aunque los datos afirman que estaba acompañada por un asistente, Martin Bartels también) estaba cansada del "lío" que hacían los chicos, y para tenerlos quietos un poco, les dio el siguiente problema: "calculen la suma de los primeros cien números". La idea era tenerlos callados durante un rato. El hecho es que un niño levantó la mano casi inmediatamente, sin siquiera darle tiempo a la maestra para que terminara de acomodarse en su silla.

–¿Sí? –preguntó la maestra mirando al niño.

–Ya está, señorita –respondió el pequeño–. El resultado es 5.050.

La maestra no podía creer lo que había escuchado, no porque la respuesta fuera falsa, que no lo era, sino porque estaba desconcertada ante la rapidez.

–¿Ya lo habías hecho antes? –preguntó.

–No, lo acabo de hacer.

Mientras tanto, los otros niños recién habían llegado a escribir en el papel los primeros dígitos, y no entendían el intercambio entre su compañero y la maestra.

–Vení y contanos a todos cómo lo hiciste.

El jovencito, se levantó de su asiento y sin llevar siquiera el papel que tenía adelante se acercó humildemente hasta el pizarrón y comenzó a escribir los números:

$$1 + 2 + 3 + 4 + 5 + \ldots + 96 + 97 + 98 + 99 + 100$$

–Bien –siguió el jovencito–. Lo que hice fue sumar el primero y el último número (o sea, el 1 y el 100). Esa suma da 101.

–Después, seguí con el segundo y el penúltimo (el 2 y el 99). Esta suma vuelve a dar 101.

–Luego, separé el tercero y el antepenúltimo (el 3 y el 98). Sumando estos dos, vuelve a dar 101.

–De esta forma, "apareando" los números así y sumándolos, se tienen 50 pares de números cuya suma da 101. Luego, 50 veces 101 resulta en el número 5.050 que es lo que usted quería.

La anécdota termina aquí. El jovencito se llamaba Carl Friedrich Gauss. Nació en Brunswick, el 30 de abril de 1777 y murió en 1855 en Gottingen, Hanover, Alemania. Gauss es considerado el "príncipe de la matemática" y fue uno de los mejores (si no el mejor) de la historia.

De todas formas, no importa aquí cuán famoso terminó siendo el niñito, sino que lo que yo quiero enfatizar es que en general, uno tiende a pensar de una determinada manera, como si fuera "lo natural".

Hay gente que desmiente esto y encara los problemas desde un lugar diferente. Esto no significa que los vea así a *todos* los problemas que se le presentan, pero eso importa poco también.

¿Por qué no permitir que cada uno piense como quiera? Justamente, la tendencia en los colegios y las escuelas, e incluso la de los propios padres, es la de "domar" a los niños (en un sentido figurado, claro), en donde lo que se pretende es que vayan por un camino que otros ya recorrieron.

Es razonable que así sea, porque esto ofrece a los adultos, sin ninguna duda, mayores seguridades, pero inexorablemente termina por limitar la capacidad creativa de quienes todavía tienen virgen parte de la película de la vida.

Gauss y su manera sutil, pero elemental, de sumar los primeros cien números, son sólo un ejemplo.[25]

---

[25] ¿Cómo harían ustedes para sumar ahora los primeros mil números? ¿Y los primeros n números? ¿Es posible concluir una fórmula general?
La respuesta es sí:

$$1 + 2 + 3 + \ldots + (n-2) + (n-1) + n = \{n(n+1)\}/2$$

Conjetura de Goldbach

Estoy seguro de que a ustedes les habrá pasado alguna vez que se tropezaron con una idea pero no estaban tan seguros de que fuera cierta y se quedaron un rato pensándola. Si no les ocurrió nunca, empiecen ahora, porque nunca es tarde. Pero lo maravilloso es poder "entretener" en la cabeza de uno algún problema cuya solución sea incierta. Y darle vueltas, mirarlo desde distintos ángulos, dudar, empezar de nuevo. Enfurecerse con él. Abandonarlo para reencontrarlo más tarde. Es una experiencia inigualable: se las recomiendo.

En la historia de la ciencia, de las distintas ciencias, hay muchos ejemplos de situaciones como las que expuse en el párrafo anterior. En algunos casos, los problemas planteados pudieron resolverse sencillamente. En otros, las soluciones fueron mucho más difíciles, llevaron años (hasta siglos). Pero como ustedes ya sospechan a esta altura, hay muchos de los que todavía no se sabe si son ciertos o falsos. Es decir: hay gente que ha dedicado su vida a pensar que el problema tenía solución, pero no la pudieron encontrar. Y otros muchos que pensaron que era falso, pero no pudieron encontrar un contraejemplo para exhibir.

De todas formas, resolver alguna de las que aún permanecen "abiertas", traería fama, prestigio y también dinero al autor.

En este capítulo quiero contar un poco sobre una conjetura conocida con el nombre de "La Conjetura de Goldbach". El 7 de junio de 1742 (piensen entonces que ya pasaron 263 años), Christian Goldbach le escribió una carta a Leonhard Euler (uno de los más grandes matemáticos de todos los tiempos), sugiriéndole que pensara una demostración para la siguiente afirmación:

"todo número par positivo, mayor que dos, se puede escribir como la suma de dos números primos".

Por ejemplo, veamos los casos más fáciles:

$$4 = 2 + 2$$
$$6 = 3 + 3$$
$$8 = 3 + 5$$
$$10 = 5 + 5$$
$$12 = 5 + 7$$
$$14 = 7 + 7 = 3 + 11$$
$$16 = 5 + 11$$
$$18 = 7 + 11 = 5 + 13$$
$$20 = 3 + 17 = 7 + 13$$
$$22 = 11 + 11$$
$$24 = 11 + 13 = 7 + 17$$
$$\dots$$
$$864 = 431 + 433$$
$$866 = 3 + 863$$
$$868 = 5 + 863$$
$$870 = 7 + 863$$

y así podríamos seguir.

Hasta hoy (agosto de 2005), se sabe que la conjetura es cierta para todos los números pares que sean menores que $4 \cdot 10^{13}$.

La novela *Uncle Petros & Goldbach's Conjecture*[26] del escritor australiano (aunque creció en Grecia) Apostolos Doxiadis, publicada en 1992, en griego y traducida a diversos idiomas en el año 2000, es la que promovió que las compañías editoras Faber y Faber de Gran Bretaña y Bloomsbury Publishing de Estados Unidos ofrecieran *un millón de dólares* a quien pudiera resolver *la Conjetura*. Doxiadis es también reconocido como uno de los iniciadores de las novelas con "trama matemática" y ha di-

---

[26] La traducción es *Tío Petros y la Conjetura de Goldbach*; cabe destacar que el libro resultó *un best-seller* internacional.

rigido además teatro y cine. Pero lo que importa en este caso es que la popularidad alcanzada por la novela devino en la oferta (que nadie pudo reclamar aún) de los editores.

Hay otra Conjetura también planteada por Goldbach, conocida con el nombre de "La Conjetura Impar de Goldbach", que dice que todo número *impar* mayor que cinco se escribe como la suma de *tres números primos*. Hasta el día de hoy (agosto del 2005) también permanece como un problema abierto de la matemática, aunque se sabe que es cierta hasta números impares de siete millones de dígitos. Si bien toda conjetura puede resultar falsa, la opinión "educada" de los expertos en teoría de números es que lo que pensó Goldbach *es cierto* y sólo es una cuestión de tiempo hasta que aparezca la demostración.

Historia de Srinivasa Ramanujan

Conocemos muy poco de la historia y la ciencia oriental. O en todo caso, todo lo que no sea americano o europeo nos queda *entre lejos y desconocido*. Sin embargo, hay varias historias interesantísimas, por no decir que hay toda una ciencia que nos queda a trasmano y que goza de extraordinaria salud.

Srinivasa Ramanujan (1887-1920) fue un matemático indio que profesaba la religión hindú. De origen muy humilde, sólo pudo asistir a una escuela pública gracias a una beca. Sus biógrafos dicen que les recitaba a sus compañeros las cifras decimales del número π (*pi*) y a los doce años se sentía muy cómodo con todo lo que tuviera que ver con *trigonometría*. A los 15 años le presentaron un libro con ¡seis mil! teoremas conocidos, pero sin demostración. Ésa fue su formación matemática básica.

Entre 1903 y 1907, decidió no dar más exámenes en la universidad y dedicó su tiempo a investigar y pensar sobre las curiosidades matemáticas. En 1912, sus amigos lo estimularon a comunicar todos sus resultados a tres distinguidos matemáticos.

Dos de ellos no le contestaron nunca. El tercero, Godfrey Harold Hardy (1877-1947), matemático inglés de Cambridge, fue el único que lo hizo. Hardy era considerado, en ese momento, el matemático más prominente de su generación.

Hardy escribiría después que cuando recibió la carta, estuvo a punto de tirarla, pero esa misma noche se sentó con su amigo John Littlewood y se pusieron a descifrar la lista de 120 fórmulas y teoremas que proponía este señor tan curioso que escribía desde la India. Horas más tarde, creían estar ante la obra de un genio.

Hardy fue un hombre de una personalidad muy difícil. Tenía su propia escala de valores para el genio matemático. Con el tiempo, ésta se hizo pública:

> 100 para Ramanujan
> 80 para David Hilbert
> 30 para Littlewood
> 25 para sí mismo

Algunas de las fórmulas de Ramanujan lo desbordaron; y comentando su asombro, Hardy escribió: "forzoso es que fueran verdaderas, porque de no serlo, nadie habría tenido la imaginación necesaria para inventarlas".

Hardy invitó a Ramanujan a Inglaterra en 1914 y comenzaron a trabajar juntos. En 1917, Ramanujan fue admitido en la Royal Society de Londres y en el Trinity College, transformandose en el primer matemático de origen *indio* que lograba tal honor.

Sin embargo, la salud de Ramanujan fue siempre una preocupación. Falleció tres años después de mudarse a Londres cuando su cuerpo ya no pudo resistir en una batalla desigual con la tuberculosis...

Ahora, una anécdota. Se cuenta que Ramanujan ya estaba internado en el hospital en Londres del cual ya no saldría. Hardy lo fue a visitar. Llegó en un taxi y subió a la habitación. Con la idea de romper el hielo, le dijo que había viajado en un taxi cuya patente era 1.729, *un número aburrido e insulso.*

Ramanujan, sentado a medias en la cama, lo miró y le dijo: "No crea. Me parece un número muy interesante: es el primer número entero que se puede escribir como suma de dos cubos de diferentes maneras".

Ramanujan tenía razón:

$$1.729 = 1^3 + 12^3$$

y también

$$1.729 = 9^3 + 10^3$$

Además 1.729 es divisible por la suma de sus dígitos: 19
1.729 = 19 . 91
Otros números que cumplen esto:

$$(9, 15) \text{ y } (2, 16)$$
$$(15, 33) \text{ y } (2, 34)$$
$$(16, 33) \text{ y } (9, 34)$$
$$(19, 24) \text{ y } (10, 27)$$

Es decir:

$$9^3 + 15^3 = 729 + 3.375 = 4104 = 2^3 + 16^3 = 8 + 4.096$$
$$15^3 + 33^3 = 3.375 + 35.937 = 39.312 = 2^3 + 34^3 = 8 + 39.304$$
$$16^3 + 33^3 = 4.096 + 35.937 = 40.033 = 9^3 + 34^3 = 729 + 39.304$$
$$19^3 + 24^3 = 6.859 + 13.824 = 20.683 = 10^3 + 27^3 = 1.000 + 19.683$$

En definitiva, Ramanujan estaba muy en lo cierto... 1.729 no es un número tan insulso.

118

Los modelos matemáticos
de Oscar Bruno

Oscar Bruno es doctor en matemática. Trabaja en el California Institute of Technology, más conocido como CalTech. Se dedica a la investigación en áreas de matemática aplicada, ecuaciones en derivadas parciales y ciencia computacional. En su trabajo se ocupa de predecir las características de diseños de ingeniería, usando métodos matemáticos y programas de computadoras.

Hace un par de años le pedí que me diera algunas referencias sobre lo que hacía. Y me escribió estas líneas que ahora transcribo, con su autorización, claro.

—¿Cómo se usan los modelos matemáticos para mejorar la calidad de un objeto antes de construirlo?

Las ventajas ofrecidas por tales métodos son muchas y claras. Por un lado es mucho más sencillo y menos costoso simular un diseño que construirlo. Por el otro, un modelo matemático puede revelar información que es muy difícil o imposible de adquirir experimentalmente.

Por supuesto, la validez de estos modelos debe ser verificada a través de comparaciones con experimentos, pero, una vez que un modelo está verificado, se puede tener un alto grado de confiabilidad en sus predicciones.

Yo me dedico a generar y verificar modelos matemáticos para problemas de ciencia de materiales. Y también me ocupo de diseñar métodos numéricos para una variedad de áreas de la ciencia. Estos métodos numéricos permiten implementar los modelos matemáticos en computadoras.

Últimamente he estado trabajando en una variedad de problemas:

a) *Producción de radares,*

b) *Producción de diamante a partir de grafito por medio de ondas de choque,*

c) *Diseño de un microscopio basado en rayos láser, en conjunto con un grupo de biólogos y de físicos,*

d) *Predicción financiera,*

e) *Diseño de materiales compuestos de goma y pequeñísimas partículas de hierro, llamados sólidos magnetoreológicos (cuya elasticidad y forma pueden ser alterados a través de la aplicación de un campo magnético).*

No quiero dejar de mencionar que progresos en estos tipos de problemas de predicción pueden llevar a:

a) *nuevos conocimientos científicos,*

b) *mejoras o abaratamientos en procesos de producción,*

c) *diseños de nuevos artefactos.*

Por ejemplo, el microscopio que mencioné antes está siendo diseñado con la intención de hacer posible la observación de la actividad de células vivas, sus intercambios de fluidos, interacciones con microorganismos, etcétera.

Los materiales compuestos basados en goma, por otro lado, son buscados para mejorar los mecanismos de reducción de vibraciones en automóviles: dependiendo del tipo de camino, es preferible combinar gomas con distintos grados de dureza.

Usando campos magnéticos y materiales compuestos basados en goma, se puede variar el tipo de dureza y obtener una reducción sensible de vibraciones que son más efectivas para todo tipo de caminos.

El diseño del compuesto más conveniente (qué tipos de partículas utilizar, en qué cantidad, qué tipo de goma es más ventajoso) se facilita enormemente gracias a los métodos numéricos. Ciertamente, en vez de producir un prototipo con cada combinación posible de materiales básicos, se utiliza un programa de computadora por medio del cual, para determinar las caracterís-

ticas de un cierto compuesto, sólo es necesario especificar –cuando la computadora lo requiere– una serie de números que caracterizan las propiedades básicas de los componentes utilizados.

Hasta aquí, las reflexiones de Oscar. Ahora agrego yo: muchas veces, como matemáticos, recibimos la pregunta: "¿para qué sirve lo que usted hace? ¿Cómo se usa? ¿Gana plata con eso?"

Cuando se trata de matemáticos que dedican su vida a la producción de ciencia con aplicaciones más evidentes o más directas, las respuestas, como las de Bruno, suelen ser más claras o más contundentes. En cambio, cuando esas respuestas provienen de científicos que dedican su vida a la investigación básica o a la vida académica, no suelen convencer al interlocutor. El ciudadano común se siente apabullado y calla, pero no está seguro de que le hayan contestado lo que preguntó. No entiende.

Uno de los propósitos de este libro es acercar a las partes. Mostrar la belleza que contiene pensar un problema cuya respuesta uno ignora. Sobre todo eso: pensar, imaginar caminos, disfrutar de la duda. Y en todo caso, aprender a coexistir con el desconocimiento, pero siempre con la idea de derrotarlo, de descubrir el velo que esconde la verdad.

Respuesta de Alan Turing sobre diferencias entre una máquina y una persona

De acuerdo con lo que leí en un *Diccionario de Ideas* de Chris Rohmann, esto fue lo que dijo Alan Turing cuando le preguntaron cómo se podía saber si una máquina era inteligente:

La máquina es inteligente si puede pasar este test: poner una persona a hacerle preguntas en paralelo a una máquina y a otra persona, sin que el que pregunte sepa quién es el que da las respuestas.

Si después de un tiempo el interrogador no puede distinguir si las respuestas provenían del humano, entonces la máquina podrá ser declarada inteligente.

Probabilidades y estimaciones

Un poco de combinatoria y probabilidades

El número de resultados posibles al tirar una moneda es *dos*. Obviamente, cara y ceca. Si ahora tiramos *dos monedas* y queremos contar el número de resultados posibles, tenemos:

Cara-Cara
Cara-Ceca
Ceca-Cara
Ceca-Ceca

Es decir, hay cuatro resultados posibles. Noten la importancia del orden, porque si no habría *sólo tres resultados posibles:*

Cara-Cara
Cara-Ceca o Ceca-Cara (que serían el mismo)
Ceca-Ceca

Al tirar tres monedas, los casos posibles *si importa el orden* son $2^3 = 8$.

En cambio, si no importa el orden sólo quedan *cuatro casos.* (Los invito a que piensen en cada caso por qué pasa esto; es más: los invito a que piensen qué pasaría si tirara n monedas y queremos calcular la cantidad de resultados posibles *si importa y si no importa el orden)*. Y ahora pasemos a los dados.

El número de resultados posibles al tirar un dado es seis.
El número de resultados posibles al tirar dos dados es:

$$6 . 6 = 6^2 = 36$$

Ahora bien: si uno tira un dado rojo primero y un dado verde después, ¿cuál es el número de resultados posibles en donde el dado verde dé un resultado *diferente* del rojo?

La respuesta es 6 . 5 = 30 (hagan la cuenta si no están convencidos)

Ahora, si tenemos tres dados, el número de resultados posibles es:

$$6^3 = 216$$

Pero si queremos que el resultado que apareció en el primero sea diferente del segundo y diferente del tercero, entonces los casos posibles son:

$$6 . 5 . 4 = 120$$

Estos ejemplos nos permiten pensar qué pasa en otros casos. Por ejemplo, cuando uno juega a la lotería. Se trata de extraer seis números entre el 1 y el 40, pero *ordenados*. Luego, los casos posibles son:

$$40 . 39 . 38 . 37 . 36 . 35 = 2.763.633.600 \text{ posibles.}$$

Recuerden que la *definición de probabilidad de que ocurra un evento resulta del cociente entre los casos favorables sobre los casos posibles.*[27] De allí que la probabilidad de que salga cara al tirar una moneda es 1/2, porque hay *un solo caso favorable (cara)* y dos casos posibles (cara y ceca). La probabilidad de que salgan primero *cara* y después *ceca* al tirar dos monedas (siempre que importe el orden) es de 1/4, porque hay *un solo caso favorable (cara-ceca) y* cuatro casos posibles (cara-cara, cara-ceca, ceca-cara y ceca-ceca).

Ahora volvamos al ejemplo que aparece en los casos posibles de la lotería. Es interesante revisar este número, porque la probabilidad de ganar la lotería es ciertamente muy baja. Uno tiene *una posibilidad entre más de dos mil setecientos sesenta millones.* Es difícil, vea.

Si uno fuera generoso, y decide olvidarse del orden, uno tiene que dividir por 6! (¿recuerdan cuando definimos el número factorial en la página 58?). Esto sucede porque una vez que uno eligió los seis números, hay 120 maneras de reordenarlos sin cambiarlos. Lo que en matemática se llama una *permutación.*

Luego, si uno divide el número (2.763.633.600) por 120, se obtiene 3.838.380. Es decir, si a uno lo dejaran jugar a la lotería extrayendo seis números entre los primeros cuarenta, pero sin importar el orden en que salen, entonces la probabilidad de ganar aumenta fuertemente. Ahora es una entre 3.838.380.

Seguimos con el juego: pasemos ahora a los juegos de cartas. En un mazo de 52 cartas, ¿cuántas posibles manos de cinco cartas nos pueden tocar? (observen que cuando a uno le reparten cartas en un juego, el orden es irrelevante. Lo que importa es la

---

[27] Estoy suponiendo que los casos tienen igual probabilidad de salir. O sea, ni una moneda está cargada, ni un dado tiene una cara más pesada, ni el tambor de la ruleta tiene algún sector más favorable, etcétera. En otras palabras: los casos tienen la misma probabilidad de salir.

mano que se obtuvo y no el orden en el que las tiene tomadas
con la mano).El resultado es:

$$52 \cdot 51 \cdot 50 \cdot 49 \cdot 48 / (5!) = 2.598.960$$

Si ahora la pregunta es de cuántas maneras me pueden tocar cuatro ases, la respuesta es 48, ya que ésas son las únicas posibilidades para la quinta carta (las otras cuatro ya están elegi-
das: son ases, y como en total eran 52 cartas menos los cuatro
ases, quedan 48). La probabilidad de que toque una mano con
cuatro ases es 48/(2.598.960) que es casi 1 en 50.000. O sea que
para los que juegan al póquer y tienen intriga por saber cuál es
la probabilidad de tener un póquer de ases, es bastante baja también (estoy suponiendo que se reparten sólo cinco cartas y que no
hay reposiciones. Esto lo escribo para los puristas que van a observar que uno puede desprenderse de ciertas cartas y pedir otras).

¿Y si uno quisiera saber la probabilidad de tener un póquer
de reyes? ¿Variaría la probabilidad? La respuesta es no, porque
que las cartas que se repitan sean ases o reyes o reinas o lo que
sea no modifica en nada el argumento que se usa. Lo hace más
pintoresco, en todo caso.

El que sigue es un hecho importante: si dos eventos son inde-
pendientes, en el sentido que el resultado de uno es independiente del resultado del otro, entonces *la probabilidad de que ambos
sucedan se obtiene multiplicando las probabilidades de ambos*.

Por ejemplo, la probabilidad de que salgan dos caras en dos
tiradas de una moneda es:

$$(1/2) \cdot (1/2) = 1/4$$

(hay cuatro casos posibles: cara-cara, cara-ceca, ceca-cara
y ceca-ceca; de ellos, sólo uno es favorable: cara-cara. De allí el
1/4).

La probabilidad de que salga un número en la ruleta es:

$$1/37 = 0,027...$$

La de que salga un número "colorado" es $18/37 = 0,48648...$
Pero que salga cinco veces seguidas "colorado" está medida por $(0.48648)^5 = 0,027...$

O sea, el 2,7% de las veces. Éste es un episodio importante, porque lo que estamos midiendo tiene que ver con la probabilidad de que salgan cinco números "colorados" seguidos. Pero la probabilidad está calculada antes de que el croupier empiece a tirar.

Eso no es lo mismo que saber que si uno llega a jugar a una mesa de ruleta en un casino y pregunta "¿qué salió hasta acá?" Si le contestan que salieron cuatro números "colorados" seguidos, *eso no afecta la probabilidad del número que está por salir:* la probabilidad de que salga "colorado" es $18/37 = 0,48648...$ otra vez, y de que salga negro es también $18/37 = 0,48648...$ Y de que salga cero es $1/37 = 0,027027...$

Pasemos ahora de juegos a personas (que pueden estar jugando juegos). Si una persona es tomada al azar, la probabilidad de que *no* hubiera nacido en el mes de julio es de $11/12 = 0,9166666...$ (Es decir, hay casi un 92% de posibilidades de que no haya nacido en julio.)[28] Pero la probabilidad tiene que ser un número mayor o igual que cero y menor o igual que uno. Por eso, si uno habla en términos probabilísticos, debe decir: la probabilidad es $0,916666...$ En cambio, si uno prefiere hablar de *porcentajes,* debe decir que el porcentaje de posibilidades de que no hubiera nacido en julio supera el 91,66%.

(Nota: la probabilidad de que un evento suceda es siempre un número entre cero y uno. En cambio, el porcentaje de posibilidades de que ese mismo evento suceda, es siempre un número entre 0 y 100.)

---

[28] Para que esto sea estrictamente cierto, estoy suponiendo que todos los meses tienen el mismo número de días. Si no, sería como tener una *moneda cargada.*

Si uno toma cinco personas al azar, la probabilidad de que ninguna haya nacido en julio es

$$(11/12)^5 = 0,352...$$

o sea, aproximadamente el 35,2% de las veces. Entienda esto bien: dadas cinco personas al azar la probabilidad de que *ninguna* de las cinco haya nacido en julio es aproximadamente 0,352 o, lo que es lo mismo, en más del 35% de las veces ninguna de las personas nació en julio.

Como escribí antes, que el mes en consideración sea julio es irrelevante. Lo mismo serviría para cualquier mes. Pero eso sí: hay que determinarlo de antemano. La pregunta (para que tenga la misma respuesta) tiene que ser ¿cuál es la probabilidad de que tomando cinco personas al azar, ninguna de las cinco hubiera nacido en el mes de... (y el lugar en blanco es para que sea rellenado por cualquier mes)?

Volvamos a los dados. ¿Qué es más probable: sacar al menos un 6 al tirar cuatro dados o sacar *dos seis al tirar dos dados,* si uno los tira 24 veces?

La probabilidad de "no" sacar un 6, es

$$5/6 = 0,833...$$

En este caso, como se tira cuatro veces el dado, la probabilidad de "no" sacar un 6 es:

$$(5/6)^4 = 0,48...$$

Luego, la probabilidad de sacar al menos un 6 al tirar un dado cuatro veces es aproximadamente

$$1 - 0,48 = 0,52$$

Por otro lado, la probabilidad de "no" sacar *dos seis al tirar dos dados, es*

$$(35/36) = 0,972...$$

(los casos favorables de *no* sacar dos seis, son 35 de los 36 posibles).

De acuerdo con lo que aprendimos hasta aquí, si uno va a iterar el proceso 24 veces, se tiene el siguiente número:

$$(0,972)^{24} = 0,51...$$

Es decir, la probabilidad de sacar dos números seis al tirar dos dados 24 veces, es

$$1 - (0,51) = 0,49...$$

MORALEJA: es más probable sacar un seis al tirar un dado cuatro veces que sacar dos seis tirando dos dados 24 veces.

Encuesta con pregunta prohibida[29]

Este ejemplo muestra una manera sutil de evitar un problema. Supongamos que uno quiere encuestar un grupo de personas sobre un tema crítico, delicado. Pongamos, por caso, que uno

---

[29] Lo que sigue aquí es un extracto de lo que contó Alicia Dickenstein en el marco del Primer Festival de Ciencias que se hizo en Buenos Aires (*Buenos Aires Piensa*). Cuando la consulté a Alicia, ella me dijo que quien le comentó este método fue el doctor Eduardo Cattani, un matemático argentino que reside en Amherst, Massachusets. Y no es raro, ya que Eduardo es una persona de una curiosidad insaciable, gran profesional y, más que eso, un gran amigo. Fue el primer ayudante alumno que tuve en la facultad de Ciencias Exactas y Naturales, allí por el año 1965. Pasaron nada menos que cuarenta años.

quiere averiguar el porcentaje de jóvenes que consumieron alguna droga durante el colegio secundario.

Es muy posible que la mayoría se sienta incómodo si tuviera que contestar que sí. Naturalmente, eso arruinaría el valor de verdad de la encuesta.

¿Cómo hacer entonces para "circunvalar" el obstáculo del pudor o molestia que genera la pregunta?

En el ejemplo, el entrevistador le quiere preguntar a cada alumno si consumió alguna droga durante el secundario. Pero le dice que el método que van a usar es el siguiente:

El joven entrará en un "cuarto oscuro", como si fuera a votar, y se dispondrá a tirar una moneda. Nadie está viendo lo que él hace. Sólo se le pide que sea respetuoso de las reglas:

1) si salió cara debe responder "sí" (cualquiera sea la respuesta verdadera),
2) si salió ceca, debe responder la verdad.

De todas formas, el único testigo de lo que el joven hace o dice es él mismo.

Con este método, se espera al menos un 50% de respuestas positivas (que son las que provienen de que uno "estime" que la moneda salió cara la mitad de las veces). En cambio, cuando alguien dice que *no*, es porque la respuesta verdadera es que *no*. O sea, este joven *no se drogó*. Sin embargo, supongamos que hay un 70% de respuestas positivas (dijeron que *sí*). ¿No dice algo esto? Es decir, ¿no lo tienta decir que con estos datos uno podría sacar alguna conclusión?

Como siempre, los invito a que *piensen un poco solos.* Y después, sigan con el razonamiento. Más allá del número de respuestas positivas, uno *esperaba de antemano* que habría (al menos) un 50% de ellas. Y esto se produce porque uno supone que como la moneda *no está cargada*, la mitad de las veces debería salir cara. Con ese dato solo, uno sabe que, al salir del cuarto oscuro, la mitad de los participantes *debe decir que sí*. Pero al mismo tiempo, hay otro 20% de respuestas que son afirmativas y NO *provienen del hecho de que la moneda salió cara*. ¿Cómo interpretar este dato?

El hecho es que eso está diciendo que, de las veces que salió ceca (que es la otra mitad de las veces), un 20% de los alumnos dijo que *sí se había drogado*. En consecuencia, uno podría inferir (y lo invito a pensar conmigo), que al menos un 40% de los alumnos fue consumidor de alguna droga. ¿Por qué? Porque del 50% restante, el 20% (¡nada menos!) contestó que sí. Y, justamente, el 20% de ese 50% implica un 40% de las personas.

Este sistema evita "señalar" a quien contesta que sí y exponerlo a una situación embarazosa. Pero, por otro lado, mantiene viva la posibilidad de encuestar lo que uno pretende.

Para aquellos que conocen un poquito más de probabilidad y saben lo que es la *probabilidad condicional*, podemos exponer algunas fórmulas.

Si llamamos x a la probabilidad de responder que *sí*, entonces:

x = p ("salga cara") . p ("sí", si cara) + p ("salga ceca") . p ("sí", si ceca),

en donde definimos:

p ("salga cara") = probabilidad de que la moneda salga cara
p ("sí", si cara) = probabilidad de que el joven diga que sí, habiendo salido *cara* al tirar la moneda
p ("salga ceca") = probabilidad de que la moneda salga *ceca,*
p ("sí", si ceca) = probabilidad de que el joven diga que *sí,* habiendo salido *ceca* al tirar la moneda.

Por otro lado,

p (cara) = p (ceca) =1/2
p ("sí", si cara) = 1
p ("sí", si ceca) = es la probabilidad de drogarse, que es
justamente lo que queremos calcular. Llamémosla P.[30]

Luego

$$x = 1/2 \cdot 1 + 1/2 \cdot P => P = 2 \cdot (x-1/2)$$ (*)

Por ejemplo, si el porcentaje de respuestas positivas hubiera sido de un 75% (o sea, 3/4 del total de las respuestas), reemplazando x por 3/4 en la fórmula (*), se tiene:

$$P = 2 \cdot (3/4 - 1/2) = 2 \cdot (1/4) = 1/2$$

Esto significaría que la *mitad* de la población estudiantil consumió alguna droga durante el colegio secundario.

Cómo estimar el número de peces en una laguna

Uno de los mayores déficits que tienen nuestros sistemas edu-
cativos, cuando se habla de matemática al menos, es que no se
nos enseña a *estimar*. Sí. *A estimar*.

Eso sirve, en principio, para aprender a desarrollar el sentido común. ¿Cuántas manzanas tiene una ciudad? ¿Cuántas hojas

---

[30] En realidad, yo estoy suponiendo que las personas van a decir la verdad siempre. Como eso no siempre sucede, para ser más exacto habría que multiplicar aquí
por un factor *corrector* que estimara esa probabilidad. Con todo, el ejemplo pretende *ilustrar* un camino, aunque no sea *todo lo preciso* que debiera.

puede tener un árbol? ¿Cuántos días vive en promedio una persona? ¿Cuántos ladrillos hacen falta para construir un edificio?

Para este capítulo tengo esta propuesta: aprender a estimar la cantidad de peces que hay en un determinado lago. Supongamos que uno está en los alrededores de una laguna. Es decir, un cuerpo de agua de proporciones razonables. Uno sabe que allí es posible pescar, pero querría estimar cuántos peces hay. ¿Cómo hacer?

Naturalmente, *estimar* no quiere decir *contar*. Se trata de poder adquirir una *idea* de lo que hay. Por ejemplo, uno podría conjeturar que en la laguna hay mil peces o que hay mil millones de peces. Obviamente, no es lo mismo. Pero ¿cómo hacer?

Vamos a hacer juntos una reflexión. Supongamos que uno consigue una red que pide prestada a unos pescadores. Y se pone a pescar hasta conseguir mil peces. Es importante que cualquier procedimiento que se haga para conseguir los mil peces no los mate, porque habrá que devolverlos al agua vivos. Lo que se hace inmediatamente una vez que uno los tiene todos, es *pintarlos de un color que no se borre con el agua o marcarlos* de alguna manera. Digamos que, para fijar las ideas, los pintamos de amarillo.

Los devolvemos al agua y esperamos un tiempo razonable, en donde "razonable" significa que les damos tiempo para que vuelvan a mezclarse con la población que habitaba la laguna. Una vez que estamos seguros, volvemos a sacar *con el mismo método*, otra vez, *mil peces*. Claro, algunos de los peces que obtenemos ahora estarán pintados y otros, no. Supongamos, siempre a los efectos de hacer las cuentas más fáciles, que entre los mil que acabamos de pescar ahora, aparecen sólo *diez* pintados de amarillo.

Esto quiere decir que *diez entre mil* es la proporción de *peces pintados* que hay en la laguna. (No avance si no comprende este argumento. Si entendió, siga en el párrafo siguiente. Si no, piense conmigo. Lo que hicimos después de pintarlos es tirar los mil peces a la laguna y darles tiempo a que se mezclen con los que había antes. Cuando volvemos a sacar nuevamente mil peces, es porque ya les dimos tiempo para que se mezclaran todos y que no se note ninguna diferencia entre los que pintamos antes y los que quedaron en el agua.)

Cuando volvemos a extraer los mil peces y vemos que hay *diez pintados de amarillo,* quiere decir que *diez de cada mil de los que hay en la laguna* están pintados. Pero si bien nosotros no sabemos cuántos peces hay, lo que sí sabemos es cuántos *peces pintados hay.* Sabemos que son mil. Pero entonces, si de cada mil, hay diez pintados (o sea, *uno de cada cien*), y en la laguna *sabemos* que hay mil pintados, y que los pintados representan el *uno por ciento del total de peces,* entonces, eso significa que el *uno por ciento de los peces que hay en la laguna es mil.* Luego, en la laguna tiene que haber *cien mil peces.*

Este método, obviamente *no exacto,* provee una estimación, no una certeza. Pero, ante la imposibilidad de *contar* todos los peces que hay, es preferible tener una idea.

El problema del palomar o *pigeon hole*

Una de las cosas que hacen (hacemos) los matemáticos, es buscar *patrones.* Es decir, buscar situaciones que se "repiten", se asemejan. Algo así como buscar peculiaridades, o cosas que varios objetos tengan en común. Así, tratamos de sacar algunas conclusiones (o teoremas) que permitan *deducir* que *ante ciertos antecedentes* (si se verifican ciertas hipótesis), se producen *ciertos consecuentes* (se deduce tal tesis). En lugar de conjeturar, justamente, en abstracto, déjenme mostrarles ciertos ejemplos.

Si yo preguntara ¿cuántas personas tiene que haber en un cine para estar seguros… (dije *seguros)…* de que al menos *dos de ellos* cumplen años el mismo día? (no quiere decir que hubieran nacido el mismo año, sólo que festejen el cumpleaños el mismo día).

(Por supuesto, ustedes piensan solos, sin leer la respuesta que sigue.)

Antes de escribir la respuesta, quiero pensar un momento con ustedes (si es que no contestaron solos antes). Por ejemplo: si hubiera dos personas, obviamente no hay garantías de que los dos cumplan años el mismo día. Lo más probable es que no sea así. Pero más allá de *probable* o *no probable*, el hecho es que estamos buscando *seguridades*. Y habiendo *dos personas* en la sala, nunca podríamos estar seguros de que los dos nacieron el mismo día.

Lo mismo sucedería si hubiera tres personas. O incluso diez. O cincuenta. ¿No? O cien. O doscientos. O incluso trescientos. ¿Por qué? Bueno, porque si bien habiendo trescientas personas dentro de una sala, es probable que haya dos que celebren sus cumpleaños respectivos el mismo día, todavía no podemos *asegurar o garantizar* que sea cierto lo que queremos. Es que podríamos tener la "mala" suerte de que todos hubieran nacido en diferentes días del año.

Nos vamos acercando a un punto interesante (y estoy seguro de que ustedes ya se dieron cuenta de lo que voy a escribir ahora). Porque si hubiera 365 personas en la sala, todavía *no estaríamos en condiciones de asegurar que dos cumplen años el mismo día*. Podría suceder que *todos hubieran nacido en todos los posibles días de un año*. Peor aun: ni siquiera con 366 (por los años bisiestos). Podría ser que justo con los 366 personas que tenemos en la sala, cubran exactamente *todos los posibles días de un año sin repetición*.

Sin embargo, hay un argumento categórico: si en la sala hay 367 personas, *no hay manera* de que se escapen: al menos *dos* tienen que soplar las velitas el mismo día.

Claro: uno no sabe cuáles son esas personas (pero ésa no era la pregunta), ni tampoco si hay nada más que dos que cumplen con la propiedad pedida. Puede ser que haya más... muchos más, pero eso no nos interesa. La garantía es que con 367 resolvemos el problema.

Ahora, teniendo en cuenta esta idea que acabamos de discutir, propongo otro problema: ¿qué argumento podemos encontrar para demostrarle a alguien que en la ciudad de Buenos Aires hay, por lo menos, dos personas con el mismo número de pelos en la cabeza?

Claramente, la pregunta se podría contestar rápido apelando a la gente "pelada". Seguro que en Buenos Aires hay dos personas que no tienen pelo, y por lo tanto, tienen el mismo número de pelos: ¡cero! De acuerdo. Pero obviemos estos casos. Encontremos un argumento que convenza a quien preguntó de lo que quiere saber, y sin apelar al recurso de *cero pelos*.

Antes de que yo escriba aquí la respuesta, una posibilidad es imaginar que si estoy proponiendo este problema en este lugar, *inmediatamente después* de haber discutido el problema de los cumpleaños, es que *alguna relación debe haber entre ambos*. No es seguro, pero es muy probable. ¿Entonces? ¿Alguna idea?

Una pregunta, entonces: ¿tiene usted idea de cuántos pelos puede tener una persona en la cabeza? ¿Alguna vez se lo cuestionó? No es que haga falta para vivir, pero... si uno tiene en cuenta el grosor de un pelo y la superficie del cuero cabelludo de cualquier persona, el resultado es que *no hay manera de que nadie tenga más de 200.000 pelos*. Y eso sería ya en el caso de King-Kong o algo así. Es imposible imaginar una persona con 200.000 pelos. Pero, de todas formas, sigamos con la idea.

Con este dato nuevo ahora, ¿de qué sirve saber que hay *a lo sumo* 200.000 pelos en la cabeza de una persona? ¿Qué hacer con él?

¿Cuántas personas viven en Buenos Aires? ¿Alguna idea? De acuerdo con el censo del año 2000, viven 2.965.403 personas en la Ciudad de Buenos Aires. Para la solución del problema, no hace falta tener el dato con tanta precisión. Basta con decir, entonces, que hay más de dos millones novecientas sesenta mil personas. ¿Por qué con estos datos es suficiente? ¿Por qué este problema es el mismo ahora que el de los cumpleaños? ¿Podrían tener acaso todos los habitantes de Buenos Aires un diferente número de pelos en la cabeza?

Creo que la respuesta clara. Juntando los dos datos que tenemos (el de la cota superior de pelos que una persona puede tener en su cabeza y el del número de habitantes de la ciudad), se deduce que *inexorablemente se tiene que repetir el número de pelos entre personas*. Y no sólo una vez, sino *muchas muchas veces*. Pero esto ya no nos importa. Lo que nos interesa es que podemos contestar la pregunta.

MORALEJA: hemos usado un mismo principio para sacar dos conclusiones. Tanto en el problema del cumpleaños como en el de los pelos, hay algo en común: es como si uno tuviera un número de agujeritos y un número de bolitas. Si uno tiene 366 agujeritos y 367 bolitas, y las tiene que distribuir todas, *es inexorable que tenga que haber por lo menos un agujerito que tiene dos bolitas*. Y si uno tiene 200.000 agujeritos y casi tres millones de bolitas que piensa repartir, se reproduce el mismo escenario: seguro que hay agujeritos con más de una bolita.

Este principio se conoce con el nombre de "pigeon hole principle", o principio del "palomar". Si uno tiene un número de nidos (digamos "n") y un número de palomas (digamos "m"), si el número m es mayor que el número n entonces tiene que haber *por lo menos dos palomas en algún nido*.

Afinadores de piano (en Boston)

Gerardo Garbulsky fue un gran proveedor de ideas y de material, no sólo para aportar historias al programa de televisión, sino para mi vida en general y mis clases en la facultad, en particular.

Gerardo y su mujer, Marcela, vivieron en Boston durante varios años. Se fueron de la Argentina inmediatamente después de la graduación de Gerardo como Licenciado en Física en la Universidad de Buenos Aires. Luego, él se doctoró –también en Física– en el MIT (Massachussets Institute of Technology).

En un momento determinado, ya con el título en la mano, se propuso dejar la vida académica y buscar algún contrato en una empresa privada en donde pudiera utilizar sus capacidades. Y en la búsqueda de empleo, tropezó con una institución que, en la selección del potencial personal que contrataría, sometía a los candidatos a una serie de entrevistas y tests.

En una de esas citas, en una conversación mano a mano con un ejecutivo de la empresa, éste le dijo que le haría algunas preguntas que tendían a estimar "el sentido común". Gerardo, sorprendido, no entendía bien de qué se trataba, pero se dispuso a escuchar.

–¿Cuántos afinadores de piano cree usted que hay en la ciudad de Boston? (La entrevista se hacía ahí, en esa ciudad de los Estados Unidos).

No se trataba, obviamente, de que él pudiera contestar con *exactitud*. Posiblemente *nadie* sepa con precisión el número *exacto* de afinadores de piano que hay en una ciudad. De lo que sí se trataba es de que alguien que viviera en una ciudad pudiera *estimar*. No pretendían que él dijera ni 23 ni 450.000. Pero sí querían escucharlo razonar. Y verlo llegar a una conclusión. Supongamos, por un momento, que había alrededor de mil. No querían que él concluyera ni 23 ni 450.000, por supuesto, porque hubiera estado alejadísimo del número aproximado.

De la misma forma, si a una persona le preguntaran cuál podría ser la máxima temperatura en un día en la ciudad de Buenos Aires, nadie va a decir 450 grados, ni tampoco 150 grados bajo cero. Se pretende, entonces, *una estimación*. Pero mucho más aún: lo querían escuchar "razonar".

Mientras tanto, yo fui a buscar los datos para poder hacer *mi propia conjetura*. Y los invito a seguirla. En el momento en el que estoy escribiendo estas líneas (mayo de 2005), viven en Boston aproximadamente 589.000 personas y hay unas 250.000 casas.

Entonces, hasta aquí:

Personas: 600.000
Casas: 250.000

Aquí uno tiene que conjeturar otra vez. ¿Cada cuántas casas uno diría que hay un piano? ¿Cien? ¿Mil? ¿Diez mil? Yo voy a elegir cien, que es lo que me deja más satisfecho.

Luego, con 250.000 casas, y un piano cada cien, eso significa que estoy suponiendo que en Boston hay 2.500 pianos.

Ahora bien: hace falta volver a hacer una nueva *estimación*. Cada afinador, ¿cuántos pianos atiende? ¿Cien? ¿Mil? ¿Diez mil? Otra vez, voy a hacer mi propia estimación, y vuelvo a elegir cien. Luego, si hay 2.500 pianos, y cada afinador atiende cien pianos (en promedio, obviamente), resulta que hay, de acuerdo con mis conjeturas, aproximadamente 25 afinadores de piano.[31]

Otra anécdota dentro del mismo contexto. Luego de la preselección, invitaron a todos los precandidatos a un encuentro de capacitación en el Babson College. Cada postulante debería pasar tres semanas completas (de lunes a sábado) asistiendo a cursos y seminarios preparatorios. Para ello, unas semanas antes de la cita, cada uno de ellos recibió una caja que contenía varios libros.

Gerardo, al recibir la caja en su casa y ver el contenido, tuvo que hacer una nueva estimación: descubrió que si el objetivo era que leyera todos los libros "antes" de tener que presentarse en el Babson College, eso sería una tarea imposible. Haciendo un cálculo más o menos elemental, descubrió que aunque leyera día y noche, y no hiciera ninguna otra cosa, no podría terminar con todos (ni mucho menos). Entonces, optó por leer en forma "selectiva". Eligió "qué leería" y "qué no". De alguna forma, trató de separar lo "importante" de lo "accesorio".

---

[31] Ustedes no tienen por qué coincidir ni con mi razonamiento ni con los números que propongo. Es sólo una conjetura. Pero los invito a que hagan las suyas y concluyan lo que a ustedes les parece. Ah, la firma que hacía la selección del personal era The Boston Consulting Group, que contrató a Gerardo en ese momento; aún hoy sigue ligado a la empresa en la sucursal que tienen en la Argentina.

El objetivo, que descubrió más adelante, es que la empresa quería mandar un mensaje más: "es imposible que un ser humano pueda hacer el ciento por ciento de las cosas que tiene que hacer. Lo que importa es ser capaz de seleccionar el veinte por ciento más importante, para cubrir los temas más relevantes, y evitar dedicarle un tiempo más largo al 80% de los temas que son menos relevantes".

En todo caso, fue una lección más.

Aldea global

Si pudiéramos en este momento encoger la población de la Tierra hasta llevarla al tamaño de una villa de exactamente cien personas, manteniendo todas las proporciones humanas existentes en la actualidad, el resultado sería el siguiente:

- Habría 57 asiáticos, 21 europeos, 14 americanos y 8 africanos
- 70 serían no blancos; 30 blancos
- 70 serían no cristianos; 30 cristianos
- 50% de la riqueza de todo el planeta estaría en manos de seis personas. Los seis serían ciudadanos de los Estados Unidos
- 70 serían analfabetos
- 50 sufrirían de malnutrición
- 80 habitarían viviendas de construcción precaria
- Sólo uno tendría educación de nivel universitario.

¿No es cierto que creíamos que la Humanidad había alcanzado un mayor nivel de desarrollo?

Estos datos corresponden a una publicación de las Naciones Unidas del 10 de agosto de 1996. Si bien han pasado casi diez años, no dejan de ser datos sorprendentes.

Historia de las patentes de los automóviles

En la Argentina, hasta hace algunos años, los autos tenían en las "chapas patentes" que los identificaban, una combinación de una letra y luego seis o siete números.

La letra se utilizaba para distinguir la provincia. El número que seguía identificaba el auto. Por ejemplo, una "chapa patente" de un auto radicado en la provincia de Córdoba era así:

X357892

Y uno de la provincia de San Juan,

J243781

Los de la provincia de Buenos Aires y los de la Capital Federal comenzaron a presentar un problema. Como el parque automotor superaba el millón de vehículos,[32] se utilizaba –aparte de la letra B para Buenos Aires y C para la Capital– un número que ahora consistía en siete dígitos. Por ejemplo, se podían ver por la calle autos con patentes como éstas:

$B_1$793852

$C_1$007253

Es decir, se necesitaba "empequeñecer" el número después de la letra (que indicaba a "qué millón" pertenecía el auto) porque ya no había más espacio disponible.

---

[32] En realidad, se trata de *todos los automóviles que fueron patentados* en algún momento los que formaban parte del parque en ese momento, más todos los que habían sido *patentados* previamente, aunque no existían más, pero sus números seguían sin poder utilizarse.

Toda esta introducción es para presentar la "solución" que se encontró. Se propuso cambiar *todo el sistema de patentamiento de vehículos del país*, y utilizar tres letras y tres dígitos.

Por ejemplo, serían patentes posibles:

NDC 378

XEE 599

La idea era conservar la primera letra como identificatoria de la provincia y aprovechar que, como el número de letras en el alfabeto es mayor que el número de dígitos, se tendría la cantidad deseada de "patentes" para resolver el problema. Ahora bien: antes de exhibir qué tropiezo tuvieron las autoridades que decidieron hacer la modificación, quiero que pensemos juntos cuántas patentes se pueden escribir de esta forma.

Piensen en la información que viene en una "chapa patente": se tienen *tres* letras y *tres* números. Pero como la primera letra va a estar fija para cada provincia, en realidad, hay *dos* letras y *tres* números con los que "jugar" en cada provincia.

Si el número de letras que tiene el alfabeto castellano (excluyendo la "ñ") es veintiséis, ¿cómo hacer para contar los pares diferentes que se pueden formar? En lugar de mirar la respuesta que voy a escribir en las siguientes líneas, piensen (un poquito) solos.

Una ayuda: los pares podrían ser AA, AB, AC, AD, AE, AF, ..., AX, AY, AZ (o sea, hay 26 que empiezan con la letra A). Luego, seguirían (si los pensamos ordenadamente) BA, BB, BC, BD, BE, ..., BX, BY, BZ (otra vez 26, que son los que empiezan con la letra B). Podríamos ahora escribir los que empiezan con la letra C, y tendríamos otros 26. Y así siguiendo. Entonces, por cada letra para empezar, tenemos 26 posibilidades para *aparear*. O sea, hay en total, 26 x 26 = 676 pares de letras.

Ya hemos contabilizado todas las combinaciones posibles de

tres letras. La primera identifica la provincia, y para las dos siguientes tenemos 676 posibilidades.

Ahora, nos falta "contar" cuántas posibilidades tenemos para los tres números. Pero esto es más fácil. ¿Cuántas ternas se pueden formar con tres números? Si uno empieza con la terna

$$000$$

y sigue, 001, 002, 003, hasta llegar a 997, 998, 999. El total es entonces 1.000 (mil) (¿entiende por qué es mil y no 999?) (si quieren pensar solos, mejor. Si no, piensen que las ternas comienzan en el "triple cero"). Ya tenemos todas las herramientas que necesitamos.

Cada provincia (luego, eso fija la primera letra) tiene 676 posibilidades para las letras y mil posibilidades para las ternas de números. En total, entonces, hay 676.000 combinaciones. Como ustedes advierten, este número hubiera sido suficiente para algunas provincias de la Argentina, pero no para las más pobladas y mucho menos, con la idea de resolver el problema que había originado todo el cambio.

¿Qué solución encontraron entonces, luego de haber hecho la campaña para "modernizar" el patentamiento y "actualizar" la base de datos del parque automotor? Tuvieron que "liberar" la primera letra. En ese caso, cuando ya no hay restricción para la primera letra (que no necesita estar asociada a una provincia) hay entonces 26 posibilidades más para cada una de las 676.000 combinaciones de los "cinco" lugares restantes (las dos letras y los tres dígitos).[33]

[33] Para entender esto: tomen una de las 676.000 combinaciones posibles. Agréguenles la letra A al principio. Ahora, tomen las mismas 676.000 y agréguenles la letra B al principio. Como se ve, ahora uno ha duplicado el número de "patentes". Si uno ahora agrega la letra C al principio, triplica el número. Si sigue con este proceso y va utilizando cada una de las 26 letras del alfabeto, encuentra que ha multiplicado por 26 las posibilidades que tenía antes.

Luego, el número total es

26 x 676.000 = 17.576.000

Con más de 17 millones de "chapas patentes" disponibles, no hay más conflictos. Eso sí: ya no se sabe a qué provincia pertenece cada auto. Y por otro lado, no queda claro quiénes fueron los que hicieron las cuentas iniciales que ocasionaron semejante escándalo. Todo por no hacer una cuenta trivial.

¿Cuánta sangre hay en el mundo?

Para tener una idea de los números que nos rodean, queremos saber cómo estimar la cantidad de sangre que hay en el mundo.

Hagamos el siguiente cálculo: ¿Cuánta sangre circula por el cuerpo de una persona adulta? La cantidad es, obviamente, variable, dependiendo de diferentes circunstancias, pero si uno quiere hacer una estimación *por exceso*, es decir, si uno trata de evaluar *lo máximo posible*, digamos que una *cota superior* es de cinco litros (y sé que estoy escribiendo *una barbaridad* porque el promedio está mucho más cerca de cuatro que de cinco litros. Pero no importa. Se trata de una estimación). Un niño, en cambio, tiene considerablemente menos, pero, aun así, voy a suponer que *toda persona, adulta o no,* tiene cinco litros en su cuerpo.

Sabemos que hay un poco más de 6 mil millones de personas en el mundo (en realidad, se estima que ya somos alrededor de 6.300 millones).

Luego, 6 mil millones a cinco litros por persona resultan un total (aproximado, claro), de 30 mil millones de litros de sangre en el mundo.

O sea, si somos

$$6.000.000.000 = 6 \cdot 10^9 \text{ (personas)},$$

multiplicando por cinco, se tiene:

$$30.000.000.000 = 30 . 10^9 \text{ litros de sangre}$$

Por otro lado,

$$\text{cada } 10^3 \text{ litros} = 1.000 \text{ litros} = 1m^3 \qquad (*)$$

Luego, si queremos averiguar cuántos metros cúbicos de sangre hay, sabiendo que hay 30 mil millones de litros, hay que usar la conversión (*):

$$\{30 . 10^9 \text{ litros}\} / \{10^3 \text{ litros}\} = x . m^3$$

en donde x representa nuestra incógnita.
Luego

$$x = 30 . 10^6 = 30.000.000$$

Por lo tanto, hay 30 millones de metros cúbicos de sangre.

Si uno quiere tener una *mejor idea* de lo que esto representa, supongamos que uno quisiera poner toda esta sangre en un cubo. ¿De qué dimensiones tendría que ser el cubo? Para eso, lo que necesitamos, es conseguir *la raíz cúbica del número x*.

$$^3\sqrt{(x)} = [(^3\sqrt{30}) . 10^2] \approx [(3,1) . 10^2],$$

(ya que la raíz cúbica de 30 es aproximadamente igual a 3,1).

Luego, si fabricamos un *cubo* de 310 metros de lado, cabría *toda la sangre que hay en el mundo*. No parece tanto, ¿no?
Para tener otra referencia de cuánto representa este número, consideremos el lago Nahuel Huapi, en el sudoeste de la Argen-

tina. Este lago tiene aproximadamente 500 km² de superficie. La pregunta ahora es: si le agregáramos al lago toda la sangre que hay en el mundo, ¿en cuánto aumentaría su altura?

Para poder hacer la estimación, supongamos que el lago fuera como una caja de zapatos. ¿Cómo se calcula el volumen? Se multiplica la superficie de la base por la altura de la caja. En este caso, sabemos que la base es de 500 kilómetros cuadrados. Y sabemos que le vamos a agregar un volumen de 30 millones de metros cúbicos. Lo que necesitamos es averiguar en cuánto aumentó la altura (que vamos a llamar h).

Escribiendo las ecuaciones se tiene:

$$500 \text{ km}^2 . \, h = 30 . 10^6 . \, m^3$$
$$500 . 10^6 \, m^2 . \, h = 30 . 10^6 \, m^3 \qquad\qquad (**)$$

(en donde hemos usado la fórmula que dice que $1 \text{ km}^2 = 10^6 \, m^2$)

Luego, despejando h de la ecuación (**), se tiene:

$$h = (30 . 10^6 m^3) / 500 . 10^6 m^2 = (3/50) \, m = 0,06 \, m = 6 \text{ cm}$$

Es decir que después de todas estas cuentas, la estimación que hicimos nos permite afirmar que si tiráramos en el lago Nahuel Huapi toda la sangre que hay en el mundo, la altura del lago *sólo se incrementaría en... ¡6 centímetros!*

MORALEJA: o bien hay muy poca sangre en el mundo, o bien, hay *muchísima... pero muchísima agua.*

Probabilidades de cumpleaños

Ya sabemos que debería haber 367 personas en una habitación para poder *afirmar* que al menos dos personas cumplen años el mismo día.

Ahora, cambiamos la pregunta: ¿Qué pasaría si nos quedáramos contentos con que la probabilidad de que haya *dos* que cumplan años el mismo día, sea mayor que 1/2? O sea, si nos satisface con saber que el porcentaje de posibilidades es mayor que el 50%, ¿cuántas personas debería haber?

Mirémoslo de esta manera: si hubiera dos personas, la probabilidad de que no hayan nacido el mismo día se calcula así:

$$(365/365) \cdot (364/365) = (364/365) = 0,99726... \qquad (*)$$

¿Por qué se calcula así la probabilidad? Elijamos una persona cualquiera. Esa persona nació uno de los 365 días del año (estamos obviando los años bisiestos, pero la cuenta serviría igual si incluyéramos 366 días). De todas formas, esa persona *tuvo que haber nacido uno de los 365 días del año.*

Ahora bien, si elegimos otra persona, ¿cuántos casos posibles hay de que *no* hayan nacido el mismo día?

Es lo mismo que calcular cuántos pares de días distintos se pueden elegir en el año. En cualquier orden. Es decir, para el primero, hay 365 posibilidades. Para el segundo en el par, quedan 364 (ya que alguno tuvo que haber sido usado para la otra persona).

Por lo tanto, los casos *favorables* en el caso de dos personas (donde *favorable* significa que *no hubieran nacido el mismo día),* es de

$$365 \cdot 364 = 132.860$$

¿Y cuántos son los casos posibles? Bueno, los casos posibles son *todos los posibles pares de días que se puedan formar en el año.* Por lo tanto, son

$$365 \cdot 365 = 133.225$$

Luego, si la probabilidad de que un evento ocurra se calcula dividiendo los casos favorables sobre los casos posibles, se tiene:

$$(365.364) / (365.365) = 132.860/133.225 = 0,997260273973\ldots$$

Si ahora tuviéramos *tres personas* y queremos que *ninguna de las tres haya nacido el mismo día*, los casos *favorables* ahora son todas las posibles ternas de días del año *sin repetición*.
O sea

$$365 . 364 . 363 = 48.228.180$$

¿Por qué? Porque para el primer lugar (o para una de las personas) hay 365 posibilidades. Para la segunda persona, ahora quedan 364 posibilidades (ya que no queremos que coincida con el de la primera). O sea, como vimos antes, 365 . 364. Y ahora, para la *tercera persona*, los días posibles que quedan *para no repetir* son 363.

Por lo tanto, *las ternas posibles sin repetir el día son:*

$$365 . 364 . 363$$

En cambio, los casos *posibles,* o sea, las *ternas posibles de días que podemos elegir en el año son:*

$$365 . 365 . 365 = 365^3 = 48.627.125$$

Luego, la *probabilidad de que dadas tres personas ninguna de las tres haya nacido el mismo día es:*

$$(365 . 364 . 363)/365^3 = 0,991795834115\ldots$$

Si siguiéramos con *cuatro personas,* los casos posibles de *cuaternas* de días del año *sin repetir son:*

$$365 \cdot 364 \cdot 363 \cdot 362 = 17.458.601.160$$

y los casos posibles son:

$$365 \cdot 365 \cdot 365 \cdot 365 = 365^4 = 17.748.900.625$$

Es decir, *la probabilidad de que cuatro personas hubieran nacido en cuatro días diferentes del año es:*

$$(365 \cdot 364 \cdot 363 \cdot 362)/365^4 = 17.458.601.160/17.748.900.625$$
$$= 0,983644087533...$$

Si uno siguiera con este proceso, ¿cuántas veces tendría que iterarlo para que la probabilidad de que ningún par de personas del grupo que cumplió años el mismo día sea inferior a $1/2 = 0,5$?

La respuesta es 23 y, por lo tanto, si uno elige cualquiera de un grupo de 23 personas, la probabilidad de que haya dos que cumplan años el mismo día es superior al 50%... Será cuestión de hacer la prueba...

Así siguiendo es que intentamos llegar a que el número que resulte de este cociente sea *menor que 0,5*. A medida que uno aumenta el número de personas, la probabilidad de que hubieran nacido en días diferentes va disminuyendo. Y el número que encontramos más arriba indica que cuando uno tiene 23 personas, la probabilidad de que hayan nacido en días diferentes es menor que $1/2$. O dicho de otra manera: si uno tiene un grupo *al azar* de 23 personas, la probabilidad de que *dos hayan nacido el mismo día* es mayor que $1/2$. O si usted prefiere, sus chances son mayores que el 50%. Y este dato, fuera del contexto que estamos analizando, era impensable, ¿no les parece?

Y si quieren poner esto a prueba, la próxima vez que participen de un partido de fútbol (once jugadores por equipo, un árbitro y dos jueces de línea), hagan el intento. Tienen más de 50% de posibilidades de que con las 25 personas haya dos que cumplan años el mismo día. Como esto es claramente antiintuitivo para muchos de los que participen del partido, quizás ustedes puedan ganar alguna apuesta.

Moneda cargada

Cada vez que hay una disputa sobre algo y hay que tomar una decisión entre dos posibilidades, se suele recurrir a *tirar una moneda al aire*.

Sin que uno lo explicite en cada oportunidad, está claro que uno acepta (sin comprobar) que la moneda no está cargada. Es decir: uno supone que la probabilidad de que salga cara o ceca es la misma. Y esta probabilidad es 1/2, o la mitad de las veces.[34]

Hasta aquí, nada nuevo. Ahora, supongamos que uno tiene que decidir también entre dos posibilidades, y tiene una moneda, pero, a diferencia del planteo anterior, a uno le dicen que la moneda *está cargada*. No es que tenga *dos caras o dos cecas*. No. Decir que está cargada es decir que la probabilidad de que *salga cara es* P mientras que la posibilidad de que salga *ceca es* Q, pero uno no sabe que P y Q son iguales.

En todo caso, supongamos dos cosas más:

a) P + Q = 1
b) P ≠ 0 y Q ≠ 0

La parte (a) dice que si bien P y Q no tienen por qué ser iguales a 1/2 como en el caso de una moneda común, la *suma de*

---

[34] Quizá la aclaración respecto de que la moneda no está cargada no haga falta, ya que cuando uno quiere decidir algo, si ninguno de los dos *sabe* si está o no cargada, *iguala* las posibilidades que cada uno tiene.

las probabilidades da uno. Es decir, o bien sale cara o bien sale ceca. La parte (b) garantiza que la moneda no está cargada de tal manera que *siempre salga cara o siempre salga ceca.*

La pregunta es: ¿cómo hacer para poder decidir entre dos alternativas cuando uno tiene una moneda de estas características?

La respuesta, en la página de soluciones.

Problemas

Pensamiento lateral

¿Qué es el pensamiento lateral?

En la página de internet de Paul Sloane (http://rec-puzzles.org/lateral.html), se da la siguiente explicación:

A uno le presentan un problema que no contiene la información suficiente para poder descubrir la solución. Para avanzar se requiere de un diálogo entre quien lo plantea y quien lo quiere resolver.

En consecuencia, una parte importante del proceso es hacer preguntas. Las tres respuestas posibles son: sí, no o irrelevante.

Cuando una línea de preguntas se agota, se necesita avanzar desde otro lugar, desde una dirección completamente distinta. Y aquí es cuando el pensamiento lateral hace su presentación.

Para algunas personas, es frustrante que un problema "admita" o "tolere" la construcción de diferentes respuestas que "superen" el acertijo. Sin embargo, los expertos dicen que un buen problema de pensamiento lateral *es aquél cuya respuesta es la que tiene más sentido, la más apta y la más satisfactoria. Es más: cuando uno finalmente accede a la respuesta se pregunta "cómo no se me ocurrió".*

La lista de problemas de este tipo más conocida es la siguiente:

A) *EL HOMBRE EN EL ASCENSOR.* Un hombre vive en un edificio en el décimo piso (10). Todos los días toma el ascensor hasta la planta baja para ir a su trabajo. Cuando vuelve, sin embargo, toma el ascensor hasta el séptimo piso y hace el resto del recorrido hasta el piso en el que vive (el décimo) por las escaleras. Si bien el hombre detesta caminar, ¿por qué lo hace?

B) *EL HOMBRE EN EL BAR.* Un hombre entra en un bar y le pide al barman un vaso de agua. El barman se arrodilla buscando algo, saca un arma y le apunta al hombre que le acaba de hablar. El hombre dice "gracias" y se va.

C) *EL HOMBRE QUE SE "AUTOESTRANGULÓ".* En el medio de un establo completamente vacío, apareció un hombre ahorcado. La cuerda alrededor de su cuello estaba atada a un andamio del techo. Era una cuerda de tres metros. Sus pies quedaron a un metro de altura del piso. La pared más cercana estaba a siete metros del muerto. Si escalar las paredes o treparse al techo es imposible, ¿cómo hizo?

D) *HOMBRE EN UN CAMPO ABIERTO CON UN PAQUETE SIN ABRIR.* En un campo se encuentra un señor tendido, sin vida. A su lado hay un paquete *sin abrir.* No hay ninguna otra criatura viva en el campo. ¿Cómo murió?

E) *EL BRAZO QUE LLEGÓ POR CORREO.* Un hombre recibió un paquete por correo. Lo abrió cuidadosamente y encontró el brazo de un hombre adentro. Lo examinó, lo envolvió nuevamente y lo mandó a otro hombre. Este segundo hombre examinó el paquete que contenía el brazo muy cuidadosamente también, y luego, lo llevó hasta un bosque en donde lo enterró. ¿Por qué hicieron esto?

F) *DOS AMIGOS ENTRAN A COMER EN UN RESTAURANT.* Los dos lograron sobrevivir al naufragio de un pequeño barco en donde viajaban ambos y el hijo de uno de ellos. Pasaron más de un mes juntos en una isla desierta hasta que fueron rescatados. Los dos ordenan el mismo plato del menú que se les ofrece. Una vez que el mozo les trae la comida, comienzan a comer. Uno de ellos, sin embargo, ni bien prueba el primer bocado sale del restaurant y se pega un tiro. ¿Por qué?

G) *UN HOMBRE VA BAJANDO LAS ESCALERAS DE UN EDIFICIO* cuando advierte súbitamente que su mujer acaba de morir. ¿Cómo lo sabe?

H) *LA MÚSICA SE DETUVO.* La mujer se murió. Explíquelo.

I) *EN EL FUNERAL DE LA MADRE DE DOS HERMANAS,* una de ellas se enamora profundamente de un hombre que jamás había visto y que estaba prestando sus condolencias a los deudos. Las dos hermanas eran las únicas que quedaban ahora como miembros de esa familia. Con la desaparición de la madre ellas dos quedaban como únicas representantes. Después del funeral y ya en la casa de ambas, una hermana le cuenta a la otra lo que le había pasado (y le estaba pasando con ese hombre) del que no sabía quién era y nunca había visto antes. Inmediatamente después, mata a la hermana. ¿Por qué?

Más bibliografía sobre el tema en http://rinkworks.com/brainfood/lateral.shtml

Problema de los tres interruptores

Entre todos los problemas que requieren pensamiento lateral, éste es el que más me gusta.

Quiero aclarar que no tiene "trampas", no tiene "gato encerrado". Es un problema que, con los datos que se brindan, uno debería estar en condiciones de resolverlo. Aquí va.

Se tiene una habitación vacía con excepción de una bombita de luz colgada desde el techo. El interruptor que activa la luz se encuentra en la parte exterior de la habitación. Es más: no sólo hay un interruptor, sino que hay tres iguales, indistinguibles. Se sabe que sólo una de las "llaves" activa la luz (y que la luz funciona, naturalmente).

El problema consiste en lo siguiente: la puerta de la habitación está cerrada. Uno tiene el tiempo que quiera para "jugar" con los interruptores. Puede hacer cualquier combinación que quiera con ellos, pero puede entrar en la habitación sólo una vez. En el momento de salir, uno debe estar en condiciones de poder decir: "ésta es la llave que activa la luz". Los tres interruptores son iguales y están los tres en la misma posición: la de apagado.

Para aclarar aún más: mientras la puerta está cerrada y uno está afuera, puede entretenerse con los interruptores tanto como quiera. Pero habrá un momento en que decidirá entrar en la habitación. No hay problemas. Uno lo hace. Pero cuando sale, tiene que poder contestar la pregunta de cuál de los tres interruptores es el que activa la lamparita.

Una vez más: el problema no tiene trampas. No es que se vea por debajo de la puerta, ni que haya una ventana que da al exterior y que le permita a uno ver qué es lo que pasa adentro, nada de eso. El problema se puede resolver sin golpes bajos.

Ahora les toca a ustedes.

128 participantes en un torneo de tenis

En un torneo de tenis se inscriben 128 participantes.

Como es bien sabido, se juega por simple eliminación. Es decir: el jugador que pierde un partido queda eliminado.

La pregunta es: ¿cuántos partidos se jugaron *en total* hasta definir el campeón?[35]

---

[35] Es obvio que uno puede hacer la cuenta escribiendo todos los datos, pero la idea es poner a prueba la capacidad para pensar distinto, para pensar en forma "no convencional". La solución aparece en el apéndice de soluciones.

Problema de las tres personas que entran en un bar y tienen que pagar con 30 pesos una cuenta de 25

Tres personas entran en un bar. Los tres hacen su pedido y se disponen a comer. En el momento de pagar, el mozo trae la cuenta que suma exactamente 25 pesos. Los tres amigos deciden compartir lo consumido y dividir el total. Para ello, cada uno mete la mano en su bolsillo y saca un billete de 10 pesos. Uno de ellos, junta el dinero y le entrega al mozo los 30 pesos.

El mozo vuelve al rato con el vuelto: cinco billetes de un peso. Deciden dejarle al mozo dos pesos de propina y se reparten los tres pesos restantes: uno para cada uno.

La pregunta es: si cada uno de ellos pagó 9 pesos (el billete de 10 que había puesto menos el peso de vuelto que se llevó cuando volvió el mozo), como son tres, a 9 pesos cada uno, pagaron 27 pesos. Si a ello le sumamos los *dos pesos de propina* que se llevó el mozo, los 27 más los dos pesos, suman ¡29 pesos!

¿Dónde está el peso que falta?

La respuesta está en la página de soluciones.

Antepasados comunes

Para aquellos que creen en la historia de Adán y Eva, tengo una pregunta interesante. Pero para aquellos que *no* creen, la pregunta puede ser inquietante también.

Aquí va: cada uno de nosotros nació por la unión de nuestros padres. A su vez, cada uno de ellos, tuvo dos padres también (y mientras la ciencia no avance hasta clonar individuos, hasta aquí siempre fue necesaria la existencia de un hombre y una mujer para procrear... en el futuro, no lo sé, pero hasta hoy, es y fue así). Es decir: cada uno de nosotros tiene (o tuvo) cuatro abuelos. Y ocho bisabuelos. Y dieciséis tatarabuelos. Y paro por un segundo aquí.

Como se puede advertir, cada salto de generación resulta en una multiplicación por dos del número de antepasados que tuvieron que intervenir para nuestro nacimiento.

O sea:

1) $1 = 2^0$ = ustedes
2) $2 = 2^1$ = sus padres (madre y padre)
3) $4 = 2^2$ = sus abuelos (maternos y paternos)
4) $8 = 2^3$ = bisabuelos
5) $16 = 2^4$ = tatarabuelos
6) $32 = 2^5$ (contando las madres y padres de sus tatarabuelos)
7) $64 = 2^6$
8) $128 = 2^7$
9) $256 = 2^8$
10) $512 = 2^9$
11) $1.024 = 2^{10}$

Supongamos que tuvieron que pasar 25 años (en promedio) para que cada generación procreara. Es decir, para llegar a *diez* generaciones hacia atrás, tuvieron que pasar alrededor de 250 años. Esto significa que hace 250 años (aproximadamente) cada uno de nosotros tenía más de mil (1.024 para ser exactos) antepasados, o personas que terminarían relacionadas con nosotros.

Ahora bien: en este momento somos alrededor de seis mil millones de personas (en realidad, alrededor de 6.300 millones). Si esto fuera así, si cada personas tuvo hace 250 años más de mil antepasados, la población de la Tierra hace dos siglos y medio tuvo que haber sido de más de ¡seis billones de personas! (aquí, un billón es un millón de millones).

Y eso es imposible, porque si uno revisa la literatura existente, los datos señalan que la población de la Tierra alrededor de 1750 oscilaba entre 600 y 900 millones de personas. (cf. http://www.census.gov/ipc/www/worldhis.html).

Es decir, en alguna parte tiene que haber un "quiebre" del argumento. ¿En dónde está el error? ¿Qué es lo que estamos pensando mal?

Vale la pena pensar el problema y buscar la respuesta –eventualmente– en el apéndice de soluciones.

Problema de Monty Hall[36]

En un programa de televisión, el conductor hace pasar a su invitado a competir por el premio mayor: un automóvil cero kilómetro. En el estrado hay tres puertas cerradas. Detrás de dos de esas puertas, hay una foto de un chivo. En cambio, detrás de la tercera hay una reproducción del vehículo. El participante tiene que elegir una de las tres puertas. Y si elige la correcta, se queda con el automóvil.

Hasta aquí, no habría nada original. Sería un programa convencional de preguntas y acertijos de los múltiples que existen en la televisión. Pero el problema tiene un agregado. Una vez que el invitado "elige" una de las tres puertas, el conductor del programa, *que sabe* detrás de cuál está el premio, pretende colaborar con el participante, y para hacerlo, "abre" una de las puertas en las que *él sabe que no está el automóvil*.

Y después le ofrece una nueva chance para elegir. ¿Cuál es la mejor estrategia? O sea, ¿qué es lo que más le conviene al participante? ¿Quedarse con lo que había elegido antes? ¿Cambiar de puerta? ¿O es irrelevante a los efectos de incrementar la probabilidad de ganar?

En este punto, yo les sugiero que abandonen la lectura por un momento y se concentren en pensar qué harían. Y luego, sí,

[36] Este problema apareció hace unos años en Estados Unidos y generó múltiples polémicas. La primera vez que lo escuché fue cuando me lo comentó Alicia Dickenstein recién llegada de un congreso en Berkeley, en octubre de 2004.

vuelvan para corroborar si lo que pensaron estaba bien o había algunas otras cosas para considerar.

(Ahora los imagino recién retornados.)

El problema presenta una arista antiintuitiva. ¿Por qué? Porque la tentación es contestar lo siguiente: ¿qué importancia tiene que cambie o no cambie una vez que quedan dos puertas solamente? Uno sabe que detrás de una de las dos está el automóvil, y en todo caso, la probabilidad de que esté detrás de una o de otra es la mitad.

Pero, ¿es verdad esto? Porque en realidad, más allá de la solución (que voy a escribir en la página de soluciones), los invito a pensar lo siguiente: ¿podemos ignorar que el problema *no empezó con la segunda pregunta* sino que en principio había *tres puertas y la probabilidad de acertar era 1 en 3?*

La respuesta, entonces, un poco más adelante.

Sentido común

¿Prestaron atención alguna vez a las "bocas de tormenta" que están en las calles? ¿Vieron que algunas veces los operarios las levantan y descienden para arreglar las cañerías? ¿Por qué es mejor que sean redondas y no cuadradas o rectangulares?

La respuesta, en la página de soluciones.

El acertijo de Einstein

Einstein escribió este acertijo en el siglo pasado y dijo que el 98% de la población mundial no lo podría resolver. No creo que sea difícil. Es cuestión de tener paciencia e interés en llegar a la respuesta. Aquí va.

Se tienen cinco casas de cinco colores diferentes. En cada una de las casas vive una persona con una nacionalidad distinta. Cada uno de los dueños bebe un determinado tipo de bebida, fuma una determinada marca de cigarrillos y tiene una determinada mascota. Ningún dueño tiene ni la misma mascota, ni fuma la misma marca de cigarrillos ni bebe la misma bebida.

La pregunta es: ¿quién es el dueño del pececito?

Claves:

1) El británico vive en la casa roja.
2) El sueco tiene un perro como mascota.
3) El danés toma té.
4) La casa verde está a la izquierda de la casa blanca.
5) El dueño de la casa verde toma café.
6) La persona que fuma Pall-Mall tiene un pájaro.
7) El dueño de la casa amarilla fuma Dunhill.
8) El que vive en la casa del centro toma leche.
9) El noruego vive en la primera casa.
10) La persona que fuma Blends vive junto a la que tiene un gato.
11) La persona que tiene un caballo vive junto a la que fuma Dunhill.
12) El que fuma Bluemasters bebe cerveza.
13) El alemán fuma Prince.
14) El noruego vive junto a la casa azul.
15) El que fuma Blends tiene un vecino que toma agua.

Problema de las velas

Éste es un problema para pensar. Y como siempre, no hay trampa. No hay que resolverlo YA. Tómense un rato para leer el texto y si no se les ocurre la solución, no desesperen. Tener algo para pensar es una manera de disfrutar. La solución está en el apéndice de soluciones, pero les sugiero que no vayan corriendo a leerla.

En todo caso, el crédito le corresponde a Ileana Gigena, la sonidista del programa *Científicos Industria Argentina*. Una tarde, cuando me escuchó proponiendo cosas para pensar que yo dejaba planteadas al finalizar un programa y que terminaría resolviendo en el siguiente, salió de su cubículo y me dijo:

—Adrián, ¿conocés el problema de las velas?

—No —le dije—. ¿Cuál es?

Y me planteó lo siguiente para que pensara. Ahora, lo comparto con ustedes:

Se tienen dos velas iguales, de manera tal que cada una tarda exactamente una hora en consumirse. Si uno tiene que medir quince minutos y no tiene cronómetro, ¿cómo tiene que hacer para aprovechar lo que sabe de las velas?

Ella me aclaró, además, que no se las puede cortar con un cuchillo ni se las puede marcar. Sólo se puede usar el encendedor y los datos que uno tiene sobre cada vela.

Sombreros (parte 1)

En una cárcel (para hacerlo un poco más emocionante y dramático) hay tres reclusos, digamos A, B y C. Se supone que los tres han tenido buena conducta y el director de la institución quiere premiarlos con la libertad.

Para eso, les dice lo siguiente:

Como ven (y les muestra) *tengo aquí cinco sombreros. Tres blancos y dos negros. Lo que voy a hacer es seleccionar tres de ellos (sin que ustedes puedan ver cuáles elegí) y se los voy a repartir. Luego de que cada uno de ustedes tenga su respectivo sombrero, los voy a poner a los tres en la misma habitación de manera que cada uno pueda ver el sombrero que tienen puesto los otros dos, pero no el propio.*

Después, yo voy a empezar a interrogar a uno por uno. Cada uno tendrá la oportunidad de decirme qué color de sombrero tiene, pero sin adivinar ni arriesgar. *Cada uno tiene que* fundamentar su opinión. *Cuando uno no puede justificar su opi-*

nión, tiene que pasar. Si al finalizar la ronda, ninguno erró y al menos uno de los tres contestó correctamente, entonces quedarán en libertad.

Está claro, además, que ninguno de ustedes puede hablar con los otros dos, ni comunicarse mediante gestos ni establecer ninguna estrategia. Se trata de contestar lealmente. Por ejemplo: si yo eligiera los sombreros negros y se los diera a A y a C, y empezara preguntándole a A qué sombrero tiene, A, al ver que B tiene un sombrero blanco y C uno negro, no podría decidir, y tendría que pasar. Pero B, al ver que tanto A como C tienen un sombrero negro, y que en total había dos de ese color, está seguro de que tiene sombrero de color blanco y podría contestar correctamente.

Una vez que las reglas estuvieron claras, los separó a los tres. Los puso en tres habitaciones diferentes, y eligió (como era previsible) los *tres sombreros blancos*.

Luego, los hizo pasar a una habitación común y empezó a preguntar:

—¿Qué color de sombrero tiene? —le preguntó a A.

—No lo sé, señor —dijo A, al ver con preocupación que tanto B como C tenían ambos sombreros blancos.

—¿Entonces?

—Entonces —dijo A—, paso.

—Bien. ¿Y usted? —siguió preguntando el director dirigiendo su pregunta a B.

—Señor, yo también tengo que pasar. No puedo saber qué color de sombrero tengo.

—Ahora, sólo me queda por preguntarle a uno de ustedes: a C. ¿Qué color de sombrero tiene?

C se tomó un tiempo para pensar. Miró de nuevo. Después cerró un instante los ojos. La impaciencia crecía alrededor de él. ¿En qué estaría pensando C? Los otros dos reclusos no podían permanecer en silencio mucho más. Se jugaba la libertad de los tres en la respuesta de C.

Pero C seguía pensando. Hasta que en un momento, cuando el clima ya era irrespirable, dijo: "Bien, señor. Yo sí puedo afirmar algo: mi color de sombrero es blanco".

Los otros dos reclusos no podían entender cómo había hecho, pero lo había dicho: ellos lo escucharon. Ahora, sólo quedaba que lo pudiera explicar para poder garantizar la libertad de todos. Ambos contenían la respiración esperando lo que un instante antes parecía imposible: que C pudiera fundamentar su respuesta. Ambos sabían que lo que dijo era cierto, pero faltaba... faltaba nada menos que lo pudiera *explicar*.

Y eso fue lo que hizo C y que invito a que piensen ustedes. Si no se les ocurre la respuesta, pueden encontrarla al final del libro.

Sombreros (2): Sobre cómo mejorar una estrategia

Se tiene ahora el siguiente problema, también ligado a sombreros de color blanco y negro:

Una vez más, supongamos que hay tres reclusos en una cárcel: A, B y C. El director decidió premiarlos por buena conducta. Pero también quiso poner a prueba la capacidad de deducción que los tres pudieran tener. Y les propuso entonces lo siguiente. Los convocó a los tres en una habitación y les dijo:

—*Como ven, tengo aquí una pila de sombreros blancos y otra de sombreros negros,* —mientras con su dedo apuntaba hacia dos hileras verticales de sombreros de esos colores.

—*Yo voy a elegir un sombrero para cada uno. Se los voy a dar sin que ustedes puedan ver de qué color es el que les tocó pero sí podrán ver el de los otros dos. Una vez que haya hecho la distribución, voy a preguntarles, uno por uno, qué color de sombrero tienen. Y ustedes tendrán que elegir o bien blanco o bien negro. Pueden optar por no contestar, y, en ese caso, pasan. De*

todas formas, para que queden en libertad los tres hace falta que
ninguno de los tres entregue una respuesta equivocada. Pueden
pasar dos, pero entonces el restante tiene que elegir: blanco o ne-
gro. Si alguno de los tres se equivoca, no hay libertad para nin-
guno. Pero basta una respuesta correcta y ninguna incorrecta pa-
ra que los tres salgan en libertad.

Les voy a mostrar una estrategia para resolver el problema.
Y es la siguiente: A y B, al ser consultados, pasan. Y C elige una
posibilidad cualquiera. Luego, tiene la mitad de posibilidades de
acertar (50%).

Esta estrategia, entonces, conduce a la libertad en un 50%
de los casos. La pregunta es: ¿existe alguna estrategia que me-
jore ésta?

Ustedes, —les dijo a los presos— *pueden planificar la estra-*
tegia que quieran. Pero no podrán conversar más en el momen-
to que yo distribuyo los sombreros.

Los reclusos se encerraron en una pieza y se pusieron a pensar. Y consiguieron una solución. La respuesta, si no la consiguen
ustedes solos, está en la página de soluciones.

Mensaje interplanetario

Supongamos que uno tuviera que mandar un mensaje al espacio y aspirara a que ese mensaje fuera leído por algún "ser inteligente".

¿Cómo hacer para escribir algo en *ningún idioma* en particular, pero lo suficientemente explícito como para que cualquiera que "pueda razonar" lo lea? Por otro lado, una vez supera-
do el obstáculo del "medio", es decir, una vez que uno elija un
sistema de comunicación que suponga que el otro va a entender, ¿qué escribirle? ¿qué decirle?

Con estas hipótesis apareció un mensaje hace mucho tiempo

en un diario japonés. La historia es así (de acuerdo con lo que me contó Alicia Dickenstein, una muy querida amiga mía, matemática, a quien le debo muchísimas cosas, las más importantes las afectivas. Alicia es una extraordinaria persona y una excelente profesional): de vuelta de un viaje por Oriente, Alicia me comentó que había leído en la revista *El Correo de la Unesco* correspondiente al mes de enero de 1966, en la página siete, el siguiente artículo (que me tomo el atrevimiento de reproducir teniendo en cuenta que circula libremente por Internet desde hace muchísimo tiempo):

En 1960, Iván Bell, un profesor de inglés en Tokio, oyó hablar del 'Project Ozma', un plan de escucha de los mensajes que por radio pudieran venirnos del espacio. Bell redactó entonces un mensaje interplanetario de 24 símbolos, que el diario japonés Japan Times (que imprime la edición japonesa del Correo de la Unesco) publicó en su edición del 22 de enero de 1960, pidiendo a sus lectores que lo descifraran.

El diario recibió cuatro respuestas, entre ellas, una de una lectora norteamericana que escribió su respuesta en el mismo código, añadiendo que vivía en Júpiter.

Lo que propongo aquí es escribir el *mensaje de Iván Bell*, que, como se dice en el artículo original, "es extraordinariamente fácil de descifrar y mucho más sencillo de lo que parece a simple vista". Mientras tanto, les quiero agregar que es un entretenimiento y un entrenamiento para la mente. Es un ejemplo para disfrutar y original respecto de lo que puede el intelecto humano. De cualquier raza, de cualquier religión o hablante de cualquier idioma. Sólo se requiere *tener voluntad para pensar*.

1. A.B.C.D.E.F.G.H.I.J.K.L.M.N.P.Q.R.S.T.U.V.W.Y.Z

2. AA, B; AAA, C; AAAA, D; AAAAA, E; AAAAAA, F; AAAAAAA, G; AAAAAAAA, H; AAAAAAAAA, I; AAAAAAAAAA, J.

3. AKALB; AKAKALC; AKAKAKALD, AKALB; BKALC; CKALD; DKALE,BKELG; GLEKB, FKDLJ; JLFKD.

4. CMALB; DMALC; IMGLB.

5. CKNLC; HKNLH, DMDLN; EMELN.

6. JLAN; JKALAA; JKBLAB; AAKALAB, JKJLBN; JKJKJLCN, FNKGLFG.

7. BPCLF; EPBLJ; FPJLFN.

8. FQBLC; JQBLE; FNQFLJ.

9. CRBLI; BRELCB.

10. JPJLJRBLSLANN; JPJPJLJRCLTLANNN, JPSLT; JPTLJRD.

11. AQJLU; UQJLAQSLV.

12. ULWA; UPBLWB; AWDMALWDLDPU, VLWNA; VPCLWNC. VQJLWNNA; VQSLWNNNA, JPEWFGHLEFWGH; SPEWFGHLEFGWH.

13. GIWIHYHN; TKCYT, ZYCWADAF.

14. DPZPWNNIBRCQC.

Los invito a pensar la solución.

Número que falta

Muchas veces en las pruebas de inteligencia (o que miden el IQ, *intelligent quotient*) se presentan problemas del siguiente tipo:

Se da una tabla de números en la que *falta* uno. ¿Pueden ustedes decir qué número falta y explicar por qué?

54	(117)	36
72	(154)	28
39	(513)	42
18	(?)	71

Se trata no sólo de que ustedes puedan decir qué número es el que debería ir en lugar del signo de interrogación, sino también de medir su capacidad de análisis, para deducir *una ley de formación*. Es decir, hay un patrón que subyace detrás de la gestación de esos números, y se pretende que ustedes lo descubran.

La respuesta, en la página de soluciones.

Cuántas veces por semana le gustaría a una persona comer fuera de su casa

Uno le propone a su interlocutor: ¿cuántas veces por semana te gustaría comer fuera de tu casa? Él tiene que pensar ese número y *no comunicarlo*. Es el número que nosotros vamos a tratar de descubrir.

Vamos a poner en dos columnas aquí abajo una respuesta general (representada por la letra v que indicará la cantidad de veces que a esa persona le gustaría comer afuera) y también con un ejemplo, digamos con el número 3.

3	v

Luego le decimos que multiplique por dos el número que nos dio.

6   2v

Luego, le decimos que le sume el número 5

11   (2v + 5)

Le pedimos que ahora lo multiplique por 50

550   50 (2v+5)=100v + 250

Si su cumpleaños ya pasó (durante el año 2005), se le suma
1.755

2.305   100v + 2.005

Si su cumpleaños *aún no pasó* (durante el año 2005), se le
suma 1.754

2.304   100v + 2.004

Ahora se le pide que reste el año de nacimiento (digamos que
la persona nació en 1949). En el primer caso (el cumpleaños ya
pasó) es

(2.305 - 1.949) = 356   100v + 56

En el segundo caso, es

(2.304 - 1.949) = 355   100v + 55

Lo que da en el primer caso es 356. Y uno le pide que le
diga ese número y entonces le dice lo siguiente: el número de
veces que te gustaría comer afuera por semana es 3 y tu edad es
56. En el segundo caso, el resultado es 355. En esta situación

se le dice a su interlocutor "el número de veces que te gustaría comer por semana es 3 y tu edad es 55".

Es decir, lo que hace el número 100v es justamente multiplicar el número v por 100, y agregarle luego el número 56 o bien 55. Es como agregarle el número v delante del número que es el cumpleaños, por lo que queda así:

v56 o bien v55

Reflexiones y curiosidades

Lógica cotidiana

Es muy común que uno cometa *errores de interpretación lógica* en la vida cotidiana. Síganme en estos ejemplos.

1) Supongamos que un señor se encuentra en un ascensor con dos señoritas y dice, mirando a una de ellas: "Usted es muy bonita".

La otra mujer, ¿tiene derecho a sentirse *menos bonita?*

2) Si uno encuentra un cartel en un restaurante que dice: "prohibido fumar los sábados", ¿tiene derecho uno a suponer que en todos los otros días, salvo el sábado, se puede fumar?

3) Último ejemplo, pero siempre con la misma idea. Si en un colegio, un maestro dice: "los lunes hay prueba", ¿significa esto que ningún otro día hay prueba?

Si uno analiza los tres casos, *deduce* que la otra mujer *no es tan bonita.* Y hace eso porque la afirmación "usted es muy bonita", cuando hay otra mujer en la habitación, induce (equivocadamente) a pensar que la otra no lo es. Pero la afirmación tiene como única destinataria a la primera mujer, *y nada se dice de la segunda.*

De la misma forma, el hecho de que en el cartel se diga que

está "prohibido fumar los sábados", no dice que está permitido los lunes. Ni los martes. *Sólo dice que no se puede fumar los sábados.* Cualquier otra conclusión a partir de esa frase es *incorrecta.*

Y, por último, si el profesor dice que "los lunes hay prueba", es obvio que no dice que se va a abstener de examinar a los alumnos cualquier otro día.

Son sólo errores de lógica, inducidos por las costumbres al hablar.

Diferencia entre un matemático y un biólogo

Este ejemplo sirve para ilustrar algunas diferencias entre personas que eligieron estudiar en la misma facultad, pero que tienen intereses distintos. Tuve la tentación de escribir que presenta (nos presenta) a los matemáticos como un poco "bobos". Sin embargo, no estoy tan seguro de que sea así. Los dejo juzgar a ustedes.

Una persona tiene delante de sí a dos científicos: un matemático y un biólogo. El objeto es plantearles a ambos un problema y ver qué tipo de respuesta daría cada uno. Les muestra entonces los elementos que tiene arriba de una mesa:

> a) un calentador con kerosene en el tanque
> b) una pava con agua
> c) fósforos
> d) una taza
> e) un saquito de té
> f) una cucharita

El primer problema, consiste en hacer un té.

El biólogo dice: –Primero, pongo la pava con agua arriba del calentador. Enciendo un fósforo y con él, el calentador. Espero que hierva el agua. Pongo el saquito de té dentro de la taza. Vierto el agua dentro de la taza y revuelvo con la cucharita para que el saquito de té tiña el agua.

El matemático dice (y no hay error en la impresión): –Primero, pongo la pava con agua arriba del calentador. Enciendo un fósforo y con él, el calentador. Espero que hierva el agua. Pongo el saquito de té dentro de la taza. Vierto el agua dentro de la taza y revuelvo con la cucharita para que el saquito de té tiña el agua.

–Bien, responde el examinador–. Ahora, les planteo otro problema: supongamos que les doy el agua hervida y les pido que hagan un té. ¿Qué haría cada uno?

El biólogo contesta: –Bueno, en ese caso, pongo el saquito de té dentro de la taza. Vierto el agua ya hervida dentro de la taza y revuelvo con la cucharita para que el saquito de té tiña el agua.

El matemático dice, entonces: –Yo no. Yo espero que el agua se enfríe y paso al caso anterior.

Sé que muchos de ustedes coincidirán con el biólogo (y lo bien que hacen). Pero al mismo tiempo, los invito a reflexionar que el matemático tiene su razón: una vez que resolvió el caso más complicado, el primero que le plantearon, sabe que cualquier otra cosa que le propongan dentro del contexto la tiene resuelta. Y apela a ello. ¿No es interesante la vida así también?

El problema de los Cuatro Colores

Yo sé que ustedes nunca tuvieron que colorear un mapa desde que dejaron la escuela primaria. Y ni siquiera estoy tan seguro de que hubiera sido el caso. De hecho, no creo que los niños de hoy tengan que colorear mapas "a mano", aunque uno nunca sabe.

El hecho es que hay un teorema que tuvo a los matemáticos muchos años sin encontrar la solución. Y se trató de lo siguiente: supongamos que uno tiene un mapa. Sí, un mapa. Un mapa cualquiera, que ni siquiera tiene que corresponder con la realidad de una región.

La pregunta es: "¿cuántos colores hacen falta para colorearlo?". Sí: ya sé. Uno tiene entre sus "pinturitas" o en la computadora muchísimos colores. ¿Por qué preguntarse cuántos colores distintos son necesarios, si uno puede usar muchos más de los que necesita? ¿Para qué podría servir calcular una "cota" máxima? Y en todo caso, ¿qué tiene que ver el número cuatro?

La Conjetura de los Cuatro Colores surgió de la siguiente manera: Francis Guthrie era un estudiante de una universidad en Londres. Uno de sus profesores era Augustus De Morgan. Francis le mostró a su hermano Frederick (que también había sido estudiante de De Morgan) una conjetura que tenía con respecto a la coloración de unos mapas, y como no podía resolver el problema, le pidió a su hermano que consultara al renombrado profesor.

De Morgan, quien tampoco pudo encontrar la solución, le escribió a Sir William Rowan Hamilton, en Dublín, el mismo día que le hicieron la pregunta, el 23 de octubre de 1852:

"Un estudiante me pidió que le diera un argumento sobre un *hecho* que yo ni siquiera *sabía que era un hecho, ni lo sé aún ahora*. El estudiante dice que si uno toma una figura (plana) cualquiera y la divide en compartimentos pintados con diferentes colores, de manera tal que dos adyacentes no tengan un color en común, entonces él sostiene que *cuatro colores* son suficientes".

Hamilton le contestó el 26 de octubre de 1852 y le dijo que no estaba en condiciones de resolver el problema. De Morgan continuó pidiendo asistencia a la comunidad matemática, pero nadie parecía encontrar una respuesta. Cayley, por ejemplo, uno de los matemáticos más famosos de la época, enterado de la situación, planteó el problema a la Sociedad de Matemática de Londres, el 13 de junio de 1878, y preguntó si alguien había resuelto la Conjetura de los Cuatro Colores.

El 17 de julio de 1879, Alfred Bray Kempe anunció en la revista *Nature* que tenía una demostración de la Conjetura. Kempe era un abogado que trabajaba en Londres y que había estudiado matemática con Cayley en Cambridge.

Cayley le sugirió a Kempe que enviara su Teorema al *American Journal of Mathematics*, donde fue publicado en 1879. A partir de ese momento, Kempe ganó un prestigio inusitado y su demostración fue premiada cuando lo nombraron Miembro de la Sociedad Real (Fellow of the Royal Society) en la que actuó como tesorero por muchísimos años. Es más: lo nombraron "Caballero de la Reina" en 1912.

Kempe publicó dos pruebas más del ahora Teorema de los Cuatro Colores, con versiones que mejoraban las demostraciones anteriores.

Sin embargo, en 1890 Percy John Heawood encontró errores en las demostraciones de Kempe. Si bien mostró por qué y en dónde se había equivocado Kempe, Heawood probó que con *cinco colores alcanzaba para colorear cualquier mapa*.

Kempe aceptó el error ante la sociedad matemática londinense y se declaró incompetente para resolver el error en la demostración, en *su* demostración.

Todavía en 1896, el famoso Charles De la Vallée Poussin encontró también el error en la demostración de Kempe, ignorando aparentemente que Heawood ya lo había encontrado antes.

Heawood dedicó sesenta años de su vida a colorear mapas y a encontrar potenciales simplificaciones del problema (la más conocida dice que si el número de aristas alrededor de cada región es divisible por 3, entonces el mapa se puede colorear con cuatro colores), pero no pudo llegar a la prueba final.

El problema seguía sin solución. Muchos científicos en el mundo le dedicaron buena parte de sus vidas a probar la Conjetura sin suerte. Y obviamente, hubo mucha gente interesada en probar lo contrario. Es decir: encontrar un mapa que *no se pudiera colorear con cuatro colores*.

Recién en 1976 (sí, 1976) la Conjetura tuvo solución y pasó
a ser, nuevamente, el Teorema de los Cuatro Colores. La demostración corrió por cuenta de Kenneth Appel y Wolfgang Haken,
quien con el *advenimiento de las computadoras* lograron probar
el resultado. Ambos trabajaban en la Universidad de Illinois en
Urbana, en la localidad de Champaign.

Usaron más de 1.200 horas de las computadoras más rápidas
que había en la época para poder demostrar la conjetura. Tanto es
así, que el Teorema de los Cuatro Colores es uno de los *primeros
casos* en la historia de la matemática, en donde la computadora
ha tenido una incidencia tan fuerte: permitió que un resultado que
venía evadiendo a los matemáticos durante más de un siglo fuera
resuelto.

Naturalmente, la demostración trajo gran desazón en el mundo de la matemática, no porque se esperara que el resultado fuera falso (en realidad, todo lo contrario) sino porque era el primer
caso en donde la máquina (en algún sentido) estaba superando
al hombre. ¿Cómo no poder encontrar una demostración mejor?
¿Cómo no poder encontrar una demostración que no dependie-
ra de un agente externo?

Es que los cálculos más optimistas establecen que, para poder comprobar lo que hicieron Appel y Haken "a mano", por una
persona que le dedicara 60 horas por semana, necesitaría ¡cien
mil años! para cumplir con la misma tarea.

Los detalles de la demostración fueron publicados en dos
"papers" que aparecieron en 1977.[37] Y lo notable de esto fue que

---

[37] Hay mucha literatura escrita sobre este tema, pero quiero recomendar alguna.
1) http://www-groups.dcs.st-and.ac.uk/~history/HistTopics/The_four_colour_t-
heorem.html
2) http://www.cs.uidaho.edu/~casey931/mega-math/gloss/math/4ct.html
3) *Four Colors Suffice: How the Map Problem was Solved*. Libro escrito por Ro-
bin Wilson y publicado por Penguin Group en 2002.
4) *The Four-Color Problem*, de Oystein Ore (Academic Press, junio de 1967).
5) http://www.math.gatech.edu/~thomas/FC/fourcolor.html
6) http://www-gap.dcs.st-and.ac.uk/~history/HistTopics/The_four_colour_theo-
rem.html

los seres humanos, dos en este caso, lograron reducir el problema a *casos, muchos casos,* que quizás hubieran tomado varias vidas para comprobar. Las computadoras hicieron el resto, pero lo que quiero enfatizar es que sin humanos las computadoras no hubieran sabido qué hacer (ni para qué).

Santa Claus[38]

Como creo que aún hoy hay gente que le reclama a Santa Claus que no le haya traído lo que le pidió, les pido que sigan atentamente las peripecias que el pobre Santa tiene que padecer todos los años. Aquí va:

Existen aproximadamente dos mil millones de niños en el mundo. Sin embargo, como Santa Claus no visita niños musulmanes, ni judíos ni budistas, esto reduce su trabajo en la noche de Navidad y sólo tiene que visitar 378 millones de chicos.

Con una tasa promedio de 3,5 "niños" por casa, se convierte en 108 millones de hogares (suponiendo que al menos hay un niño bueno por casa). Santa Claus tiene alrededor de 31 horas de Navidad para realizar su trabajo, gracias a las diferentes zonas horarias y a la rotación de la Tierra, asumiendo que viaja de este a oeste (lo cual parece lógico). Esto suma 968 visitas por segundo. Como quien dice, para cada casa cristiana con un niño bueno, Santa tiene alrededor de 1/1000 de segundo para: estacionar el trineo, bajar, entrar por la chimenea, llenar las botas de regalos, distribuir los demás regalos bajo el arbolito, comer los bocadillos que le dejan, trepar nuevamente por la chimenea, subirse al trineo... y llegar a la siguiente casa.

Suponiendo que cada una de esas 108 millones de paradas están equidistribuidas geográficamente, estamos hablando de al-

---

[38] Este texto me fue enviado por Hugo Scolnik, uno de los expertos en criptografía más importantes del mundo.

rededor de 1248 metros entre casa y casa. Esto significa, un viaje total de 121 millones de kilómetros... sin contar descansos o paradas al baño. Por lo tanto, el trineo de Santa Claus se mueve a una velocidad de 1.040 kilómetros por segundo... es decir, casi tres mil veces la velocidad del sonido.

Hagamos una comparación: el vehículo más rápido fabricado por el hombre viaja a una velocidad máxima de 44 km/seg. Un reno convencional puede correr (como máximo) a 24 km por hora o, lo que es lo mismo, unas siete milésimas de kilómetro por segundo. La carga del trineo agrega otro elemento interesante. Suponiendo que cada niño sólo pidió un juguete de tamaño mediano (digamos de un kilo), el trineo estaría cargando más de 500.000 toneladas... sin contar a Santa Claus. En la Tierra un reno normal NO puede acarrear más de 150 kg. Aun suponiendo que un reno pudiera acarrear diez veces el peso normal, el trabajo, obviamente, no podría ser hecho por ocho ó nueve renos. Santa Claus necesitaría 360.000 de ellos, lo que incrementa la carga otras 54.000 toneladas... sin contar el peso del trineo.

Más allá de la broma, 600.000 toneladas viajando a 1.040 km/seg sufren una resistencia al aire enorme, lo que calentaría los renos, de la misma forma que se calienta la cubierta de una nave espacial al ingresar a la atmósfera terrestre. Por ejemplo, los dos renos de adelante, absorberían 14,3 quintillones de joules de energía por segundo cada uno... por lo que se calcinarían casi instantáneamente, exponiendo a los renos siguientes y creando ensordecedores "booms" sónicos. Todos los renos se vaporizarían en un poco más de cuatro milésimas de segundo... más o menos cuando Santa Claus esté a punto de realizar su quinta visita.

Si no importara todo lo anterior, hay que considerar el resultado de la desaceleración de 1.040 km/seg. En 0,001 de segundo, suponiendo un peso de Santa Claus de 150 kg, estaría sujeto a una inercia de fuerza de 2.315.000 kg, rompiendo al instante sus huesos y desprendiendo todos sus órganos, reduciéndolo al pobre Santa Claus a una masa sin forma aguada y temblorosa.

Si aun con todos estos datos, los enoja que Santa Claus no les haya traído lo que le pidieron este año, es porque son tremendamente injustos y desconsiderados.

¿Cómo construir un ángulo recto?

A esta altura, todo el mundo (¿todo el mundo?) puede *recitar* el teorema de Pitágoras: "En todo triángulo rectángulo, el cuadrado de la hipotenusa es igual a la suma de los cuadrados de los catetos". Ahora bien: el teorema habla sobre la relación que hay entre la hipotenusa y los catetos *en un triángulo rectángulo*. Se supone, entonces, que el triángulo que nos dieron *es rectángulo*.

¿Qué pasaría al revés? Es decir: si un señor llega con un triángulo y dice:

"Vea. Yo acabo de medir la hipotenusa y los catetos de este triángulo y resulta que cuando sumo los cuadrados de los catetos me da el mismo número que el cuadrado de la hipotenusa".

La pregunta entonces es: ¿Es rectángulo el triángulo del señor? El teorema de Pitágoras no dice nada de esto. El teorema *hace afirmaciones cuando uno sabe que tiene un triángulo rectángulo*. Pero en este caso, no dice nada. No se puede aplicar el teorema.

En todo caso, lo que uno tiene que hacer es preguntarse si es verdad que el señor del párrafo de arriba tenía un triángulo rectángulo sin que él lo supiera. Y el resultado *es cierto. Cada vez que en un triángulo se observa esa relación entre los tres catetos, es porque el triángulo debe ser rectángulo* (aunque yo no escriba la demostración aquí, es un buen ejercicio para pensar). Lo interesante de esto es que con este resultado, que es el *recíproco* del teorema de Pitágoras, es posible *construirse triángulos rectángulos*.

¿Cómo hacer? Bien. Tomen una cuerda de 12 metros (o 12 centímetros, pero creo que es mejor si se lo hace con una cuerda más manejable). Ustedes saben que $3^2 + 4^2 = 5^2$.

Es decir, esa relación dice que si yo me fabrico un triángulo con *lados que midan 3, 4 y 5 respectivamente,* entonces el triángulo, de acuerdo con lo que vimos recién, *tiene que ser rectángulo.* Entonces, los invito a hacer lo siguiente. Apoyen la cuerda en el piso. Pongan un libro o la pata de una silla para que apriete una de las puntas. Estiren la cuerda. Cuando llegó a los tres metros pongan otro objeto para que sostenga la cuerda en ese lugar y ustedes giren, avancen en otra dirección cualquiera, hasta que hayan recorrido ahora *cuatro metros con la cuerda.* Allí vuelvan a poner algo que la sostenga y giren otra vez pero ahora apuntando en la dirección en la que pusieron la otra punta de la cuerda. Cuando lleven la segunda punta para que coincida con la primera, manteniendo las distancias (tres, cuatro y cinco metros respectivamente), el triángulo que se habrá formado *tiene que ser rectángulo.* En realidad, ésta era la forma en la que los griegos construían ángulos rectos. Y lo mismo sucede con la gente de campo, que sin necesidad de conocer este teorema, ni tener escuadras, delimita su terreno construyendo ángulos rectos de esta forma.

Alfabetos del siglo XXI

A mediados del siglo XX, se definía a una persona como *alfabeta* si podía leer y escribir. Hoy, en los primeros años del siglo XXI, creo que esa definición es claramente incompleta. Por supuesto, no ignoro que son condiciones elementales saber leer y escribir, pero hoy, un niño que no tiene cultura digital y no habla otro idioma (digamos inglés o chino, si es que lo prefiere) presenta claras deficiencias.

Hace poco tiempo, me comentaba Eric Perle, uno de los capitanes de la compañía aérea United, que pilotea los aviones más modernos del mundo, los Boeing 777, que cuando uno está por aterrizar en el aeropuerto Charles de Gaulle, en París, las conversaciones entre las cabinas de los distintos aviones que circulan por el espacio aéreo en París y la torre de control son en inglés, aunque el avión sea de Air France o de cualquier otra compañía. Y la idea no es minimizar ninguna otra lengua. La idea es aceptar un idioma como "normalizador", de manera tal que *todos* los que están en el área *entiendan lo que se está diciendo,* porque las comunicaciones ponen en contacto a *todos.*

Escribo esto porque muchas veces escucho que hay fuerte resistencia a aceptar el inglés como idioma universal, como si fuera en detrimento de otros (el español, el francés o el chino: para el caso es lo mismo). No trato de defender eso, sino de aceptar una realidad: *mientras el mundo no se ponga de acuerdo en hablar un idioma único que permita que todos entiendan a todos, el único idioma que hoy garantiza eso en el espacio aéreo es el inglés.*

Claro, el objetivo es lograr que la educación sea para todos y no para unos pocos privilegiados. El objetivo es también que la educación sea gratuita y pública.

Cirujanos y maestros en el siglo XXI

Una historia interesante para pensar es la siguiente: supongamos que un cirujano de principios del siglo XX, fallecido alrededor de 1920, se despertara hoy y fuera trasladado al quirófano de un hospital moderno (aquellos a los que tienen acceso para cuidar de su salud las personas con alto poder adquisitivo, generando una desigualdad que escapa al motivo de este libro, pero que no por eso ignoro).

Vuelvo al quirófano. Supongamos que en la cama de operaciones hay un cuerpo anestesiado al que están operando con la tecnología actual más moderna.

¿Qué haría el tal cirujano? ¿Qué sensaciones tendría? Claramente, el cuerpo de un humano no cambió. En ese lugar no habría problemas. El problema lo encontraría en las "técnicas quirúrgicas", el "aparataje" que las circundan, "el instrumental" y la "batería de tests" que estarían a disposición del cuerpo de médicos que están en esa sala. *Eso sí sería una diferencia*. Posiblemente, el viejo cirujano se quedaría "admirado" de lo que ve y completamente "fuera del circuito". Le explicarían el problema del paciente, y seguro que lo entendería. No tendría problemas en comprender el diagnóstico (al menos, en la mayoría de los casos). Pero la operación en sí misma le resultaría totalmente inaccesible, inalcanzable.

Ahora cambiemos la profesión. Supongamos que en lugar de un cirujano que vivió y murió en el primer cuarto del siglo xx, resucitamos a un maestro de esos tiempos. Y lo llevamos, *no* a una sala de operaciones, sino al teatro de operaciones de un maestro: una sala en donde se dictan clases.[39] A una escuela. ¿Tendría problemas de comprensión? ¿Entendería de lo que están hablando? ¿Comprendería las dificultades que presentan los alumnos? (No me refiero a los trastornos de conducta, sino a los problemas inherentes a la comprensión propiamente dicha.)

Posiblemente, la respuesta es que sí, que el maestro de otros tiempos no tendría problemas en comprender y hasta podría, si el tema era de su especialidad hace un siglo, acercarse al pizarrón, tomar la tiza y seguir él con la clase casi sin dificultades.

MORALEJA: la tecnología cambió mucho el abordaje de ciertas disciplinas, pero no tengo claro que lo mismo se haya producido con los métodos y programas de enseñanza. Mi duda es: si *elegimos* no cambiar nada no hay problemas. Si evaluamos que lo que se hace desde hace un siglo es lo que *queremos hacer hoy*,

---

[39] Al respecto, comenta Gerry Garbulsky: "Me parece triste que se siga diciendo 'dictar' clase. Mientras otros anacronismos son más inocuos, como 'discar' el teléfono o 'tirar' la cadena del baño, el de 'dictar clase' me hace pensar que en realidad muchos maestros siguen 'dictando' (que implícitamente indica que los alumnos 'toman nota') y no piensan mucho".

no hay críticas. Pero si lo que hacemos hoy es lo mismo que hace un siglo, porque lo revisamos poco o lo consensuamos menos, hay algo que funciona mal. Y vale la pena cuestionarlo.

Sobre monos y bananas[40]

Supongamos que tenemos seis monos en una pieza. Del cielo raso cuelga un racimo de bananas. Justo debajo de él hay una escalera (como la de un pintor o un carpintero). No hace falta que pase mucho tiempo para que uno de los monos suba las escaleras hacia las bananas.

Y ahí comienza el experimento: en el mismo momento en que toca la escalera, *todos* los monos son rociados con agua *helada*. Naturalmente, eso detiene al mono. Luego de un rato, el mismo mono o alguno de los otros hace otro intento con el mismo resultado: todos los monos son rociados con el agua helada a poco que uno de ellos toque la escalera. Cuando este proceso se repite un par de veces más, los monos ya están advertidos. Ni bien alguno de ellos quiere intentarlo, los otros tratan de evitarlo, y terminan a los golpes si es necesario.

Una vez que llegamos a este estadio, retiramos uno de los monos de la pieza y lo sustituimos por uno nuevo (que obviamente no participó del experimento hasta aquí). El nuevo mono ve las bananas e inmediatamente trata de subir por las escaleras. Para su horror, *todos* los otros monos lo atacan. Y obviamente se lo impiden.

---

[40] Esta historia me la contó mi sobrina Lorena, cuando todavía no se había graduado de bióloga en la Universidad de Buenos Aires, ni se había casado con Ignacio, otro biólogo. Pero siempre me impactó por todo lo que implica en cuanto se trata de explicar la conducta de los humanos. La fuente es *De banaan wordt bespreekbaar*, por Tom Pauka y Rein Zunderdorp (Nijgh en van Ditmar, 1988). http://www.totse.com/en/technology/science_technology/dumbapes.html

Luego de un par de intentos más, el nuevo mono ya aprendió: si intenta subir por las escaleras lo van a golpear sin piedad.

Luego, se repite el procedimiento: se retira un segundo mono y se incluye uno nuevo otra vez. El recién llegado va hacia las escaleras y el proceso se repite: ni bien la toca (la escalera), es atacado masivamente. No sólo eso: el mono que había entrado justo antes que él (¡que nunca había experimentado el agua helada!) participaba del episodio de violencia con gran entusiasmo.

Un tercer mono es reemplazado y ni bien intenta subir las escaleras, los otros cinco lo golpean. Con todo, *dos* de los monos que lo golpean no tienen ni idea de *por qué uno no puede subir las escaleras.* Se reemplaza un cuarto mono, luego el quinto y por último, el sexto, que a esta altura es el *único que quedaba del grupo original.* Al sacar a éste ya no queda ninguno que haya experimentado el episodio del agua helada. Sin embargo, una vez que el último lo intenta un par de veces, y es golpeado furiosamente por los otros cinco, ahora queda establecida la regla: *no se puede subir por las escaleras. Quien lo hace se expone a una represión brutal.* Sólo que ahora ninguno de los seis tiene argumentos para sostener tal barbarie.

Cualquier similitud con la realidad de los humanos *no es pura coincidencia ni casualidad. Es que así somos: como monos.*

¿Qué es la matemática?

Las reflexiones que aparecen más abajo fueron inspiradas en un libro de Keith Devlin (*¿Qué es la matemática?*). Sugiero que lean el texto con la mayor flexibilidad posible. Y, si pueden, léanlo con cuidado. Insisto: no es patrimonio mío (ni mucho menos). Es un recorrido por la historia que me parece que uno no debería ignorar.

Si hoy parara a una persona por la calle y le preguntara *¿qué* *es la matemática?*, probablemente contestaría –si tuviera interés en contestar algo– que *la matemática es el estudio de los números* o quizás que *es la ciencia de los números.* Lo cierto es que esta definición tenía vigencia hace unos 2.500 años. O sea, que la información que tiene el ciudadano común respecto a una de las ciencias básicas, es equivalente... ¡¡a la de veinticinco siglos atrás!! *¿Hay algún otro ejemplo tan patético en la vida cotidiana?*

Durante el desarrollo de la historia, la humanidad ha recorrido un camino tan largo y tan rico que me creo con derecho a esperar una respuesta un poco más actual. La idea sobre qué es la matemática en el imaginario popular no parece haber evolucionado demasiado a través de los siglos. Algo falla. Los canales de comunicación no funcionan como deberían. ¿No despierta curiosidad averiguar qué nos estamos perdiendo?

Es probable que la mayoría de la gente esté dispuesta a aceptar que la matemática hace aportes valiosos en los diferentes aspectos de la vida diaria, pero no tiene idea de su esencia ni de la investigación que se hace actualmente en matemática, ni hablar de sus progresos y su expansión.

Para lograr captar algo de su espíritu, tal vez convenga refrescar, a muy grandes rasgos, y en forma breve los primeros pasos y la evolución de la matemática a través del tiempo.

La respuesta a la pregunta *¿qué es la matemática?* ha variado mucho en el transcurso de la historia. Hasta unos 500 años antes de Cristo, aproximadamente, la matemática era –efectivamente– el estudio de los números. Hablo, por supuesto, del período de los matemáticos egipcios y babilonios en cuyas civilizaciones la matemática consistía casi absolutamente en aritmética. Se parecía a un recetario de cocina: haga esto y aquello con un número y obtendrá tal respuesta. Era como poner ingredientes en la batidora y hacer un licuado. Los escribas egipcios utilizaban la matemática para la contabilidad, mientras que en Babilonia eran los astrónomos los que la desarrollaban de acuerdo con sus necesidades.

Durante el período que abarcó desde los 500 años antes de Cristo hasta los 300 después de Cristo, aproximadamente 800 años, los matemáticos griegos demostraron preocupación e interés por el estudio de la geometría. Tanto que *pensaron a los números en forma geométrica.*

Para los griegos, los números eran herramientas. Así fue como los números de los babilonios "les quedaron chicos"... ya no les alcanzaban. Tenían los naturales (1, 2, 3, 4, 5, etcétera) y los enteros (que son los naturales más el cero y los números negativos) pero no eran suficientes.

Los babilonios ya tenían también los números racionales, o sea los cocientes entre los enteros (1/2, 1/3, -7/8, 13/15, -7/3, 0, -12/13, etcétera) que proveían el desarrollo decimal (5, 67 o 3, 8479) y los números periódicos 0,4444... o 0,191919... Estos números les permitían medir, por ejemplo, magnitudes mayores que cinco pero menores que seis. Pero aún así eran insuficientes.

Algunas escuelas como la de los "pitagóricos" (que se prometían en forma mística no difundir el saber) pretendían que todo fuera mensurable, y por eso casi enloquecieron cuando no podían "medir bien" la hipotenusa de un triángulo rectángulo cuyos catetos midieran uno. O sea, había medidas para las cuales los números de los griegos no se adecuaban o no se correspondían. Es entonces cuando "descubrieron" los números irracionales... o no les quedó más remedio que admitir su existencia.

El interés de los griegos por los números como herramientas y su énfasis en la geometría elevaron a la matemática al estudio de los números *y también de las formas.* Allí es donde empieza a aparecer algo más. Comienza la expansión de la matemática que ya no se detendrá.

De hecho, fue con los griegos que la matemática se transformó en un área de estudio y dejó de ser una mera colección de técnicas para medir y para contar. La consideraban como un objeto interesante de estudio intelectual que comprendía elementos tanto estéticos como religiosos.

Y fue un griego, Tales de Mileto, el que introdujo la idea de que las afirmaciones que se hacían en matemática podían ser probadas a través de argumentos lógicos y formales. Esta innovación en el pensamiento marcó *el origen de los teoremas*, pilares de las matemáticas.

Muy sintéticamente, podríamos decir que la aproximación novedosa de los griegos a la matemática culmina con la publicación del famoso libro *Los elementos* de Euclides, algo así como el texto de mayor circulación en el mundo después de la Biblia. En su época, este libro de matemática fue tan popular como las enseñanzas de Dios. Y como la Biblia no podía explicar al número π (pi), lo "hacía" valer 3.

Siguiendo con esta pintura, a trazos muy gruesos, de la historia, es curioso que no haya habido demasiados cambios en la evolución de la matemática sino hasta mediados del siglo XVII cuando simultáneamente en Inglaterra y en Alemania, Newton, por un lado, y Leibniz, por el otro, "inventaron" EL CÁLCULO.

El cálculo abrió todo un mundo de nuevas posibilidades porque permitió el estudio del movimiento y del cambio. Hasta ese momento, la matemática era una cosa rígida y estática. Con ellos aparece la noción de "límite": la idea o el concepto de que uno puede acercarse tanto a algo como quiera aunque no lo alcance. Así "explotan" el cálculo diferencial, infinitesimal, etcétera.

Con el advenimiento del cálculo, la matemática, que parecía condenada a contar, medir, describir formas, estudiar objetos estáticos, se libera de sus cadenas y comienza a "moverse".

Y con esta *nueva matemática*, los científicos estuvieron en mejores condiciones de estudiar el movimiento de los planetas, la expansión de los gases, el flujo de los líquidos, la caída de los cuerpos, las fuerzas físicas, el magnetismo, la electricidad, el crecimiento de las plantas y los animales, la propagación de las epidemias, etcétera.

Después de Newton y Leibniz, la matemática se convirtió en

el estudio de los números, las formas, el movimiento, el cambio y el espacio.

La mayor parte del trabajo inicial que involucraba el cálculo se dirigió al estudio de la física. De hecho, muchos de los grandes matemáticos de la época fueron también físicos notables. En aquel momento, no había una división tan tajante entre las diferentes disciplinas del saber como la hay en nuestros días. El conocimiento no era tan vasto y una misma persona podía ser artista, matemática, física y otras cosas más, como lo fueron, entre otros, Leonardo Da Vinci y Miguel Ángel.

A partir de la mitad del siglo XVIII nació el interés por la matemática como objeto de estudio. En otras palabras, la gente comenzó a estudiar a la matemática ya no sólo por sus posibles aplicaciones sino por los desafíos que vislumbraba la enorme potencia introducida por el cálculo.

Sobre el final del siglo XIX, la matemática se había convertido en el estudio del número, de la forma, del movimiento, del cambio, del espacio y también de las herramientas matemáticas que se utilizaban para ese estudio.

La explosión de la actividad matemática ocurrida en este siglo fue imponente. Sobre el comienzo del año 1900, el conocimiento matemático de todo el mundo hubiera cabido en una enciclopedia de ochenta volúmenes. Si hoy hiciéramos el mismo cálculo, estaríamos hablando de más de cien mil tomos.

El desarrollo de la matemática incluye numerosas nuevas ramas. En alguna época las ramas eran doce, entre las que se hallaban la aritmética, la geometría, el cálculo, etcétera. Luego de lo que llamamos "explosión" surgieron alrededor de 60 o 70 categorías en las cuales se pueden dividir las diferentes áreas de la matemática. Es más, algunas –como el álgebra y la topología– se han bifurcado en múltiples subramas.

Por otro lado, hay objetos totalmente nuevos, de aparición reciente, como la teoría de la complejidad o la teoría de los sistemas dinámicos.

Debido a este crecimiento tremendo de la actividad matemática, uno podría ser tildado de reduccionista si a la pregunta de "¿qué es la matemática?" respondiera: "es lo que los matemáticos hacen para ganarse la vida".

Hace tan sólo unos veinte años nació la propuesta de una definición de la matemática que tuvo –y todavía tiene– bastante consenso entre los matemáticos. *"La matemática es la ciencia de los 'patterns'"* (o de los *patrones*).

En líneas muy generales, lo que hace un matemático es examinar "patterns" abstractos. Es decir, buscar peculiaridades, cosas que se repitan, patrones numéricos, de forma, de movimiento, de comportamiento, etcétera. Estos "patterns" pueden ser tanto reales como imaginarios, visuales o mentales, estáticos o dinámicos, cualitativos o cuantitativos, puramente utilitarios o no. Pueden emerger del mundo que nos rodea, de las profundidades del espacio y del tiempo o de los debates internos de la mente.

Como se ve, a esta altura del siglo XXI contestar la pregunta *¿qué es la matemática?* con un simple "es el estudio de los números" es, cuanto menos, un grave problema de información, cuya responsabilidad mayor no pasa por quienes piensan eso, sino de los que nos quedamos de este otro lado, disfrutando algo que no sabemos compartir.

Universidad de Cambridge

Lean este mensaje:

Sgeún un etsduio de una uivenrsdiad ignlsea, no ipmotra el ódren en el que las ltears etsan ersciats, la úicna csoa ipormtnate es que la pmrirea y la útlima ltera etsen ecsritas en la psiocion cocrrtea. El rsteo peuden etsar taotlmntee mal y aún pordás lerelo sin pobrleams. Etso es pquore no lemeos cada ltera por sí msima sino que la paalbra es un tdoo.

Pesornamelnte me preace icrneilbe...

Con todo, uno podría suponer que esto sólo pasa en castellano, pero el siguiente párrafo sugiere algo distinto:

*Aoccdrnig to rscheearch at Cmabrigde Uinervtisy, it deosn't
mttaer in waht oredr the ltteers in a wrod are, the olny iprmoatnt
tihng is taht the frist and lsat ltteer be at the rghit pclae. The
rset can be a total mses and you can sitll raed it wouthit por-
belm. Tihs is bcuseae the huamn mnid deos not raed ervey lte-
ter by istlef, but the wrod as a wlohe. Amzanig huh?*

Aquí es donde se me escapa totalmente mi capacidad de ela-
boración. ¿Cómo funciona el cerebro? ¿Cuánto, en realidad, se
lee textualmente y cuánto se anticipa lo que debería decir?

Recuerdo una anécdota con un grupo de amigos, que quizá sirva también para ejemplificar que uno, en verdad, tampoco escucha lo que se le dice en su totalidad, sino que "rellena lo que está
por venir" con su imaginación. Y claro, eso suele traer algunos problemas.

Allá por el año 2001 estábamos en la cantina de David (una
cantina italiana en el corazón de Buenos Aires) un grupo de amigos, y el tema del fútbol es inevitable, sobre todo si en la mesa estaban Carlos Griguol, Víctor Marchesini, Carlos Aimar, Luis Bo-
nini, Miguel "Tití" Fernández, Fernando Pacini, Javier Castrilli
y el propio dueño de la cantina, Antonio Laregina.

En un momento, Tití se levantó para ir al baño. Cuando
él no podía escuchar, les dije a todos los otros que prestaran
atención al diálogo que tendríamos con Tití cuando él retor-
nara a la mesa, porque quería demostrarles a todos (y a mí
también) lo que escribí antes: uno no siempre escucha todo.
En todo caso, uno intuye lo que el otro va a decir, pone la
mente en control remoto y se retira a pensar cómo seguir o
algo distinto.

Y entonces, esto pasó. Cuando Tití volvió a la mesa, le pregunté:

—Decime, ¿no tenés en tu casa algún reportaje que le hubiéramos hecho a Menotti en la época de *Sport 80*?[41].

—Sí —me contestó Tití—. Yo creo que tengo varios cassettes en mi casa... (y se quedó pensando)

—Haceme un favor —le dije—. ¿Por qué no me los traés la semana que viene? Yo, *los escucho, los borro y no te los devuelvo nunca más*.

—Está bien, Adrián —me dijo sin mayores sobresaltos—. Pero no me empieces a apurar. Yo sé que los tengo, pero no recuerdo exactamente dónde. Ni bien los encuentro, te los traigo.

MORALEJA: ante la risa generalizada, Tití seguía sin poder comprender qué había pasado. Él, en realidad, había sido sólo un "conejillo de Indias" para el experimento. Yo creo que, muchas veces, no nos concentramos en escuchar, porque "asumimos" lo que el otro va a decir. El cerebro usa ese tiempo, ese "instante", para pensar en otra cosa, pero claro, algunas veces, comete un error.

Teclado QWERTY

La máquina de escribir, con el teclado que usamos actualmente con las computadoras, apareció por primera vez para uso masivo en 1872. Pero en realidad, la primera patente norteamericana para una máquina de escribir la obtuvo el ingeniero Christopher L. Sholes en 1868. Sholes había nacido en Milwaukee, una ciudad del estado de Wisconsin cerca del lago Michigan, a unos 150 kilómetros al noroeste de Chicago.

Cuando aparecieron las primeras máquinas en el mercado, se vio que tenían un inconveniente: los dactilógrafos escribían

---

[41] Eso debió suceder unos veinticinco años antes del diálogo.

más rápido de lo que permitía el mecanismo, de manera tal que las teclas terminaban trabadas y hacían imposible tipear con rapidez.

Por eso, Sholes se propuso diseñar un teclado que "frenara" un poco a los "tipeadores". Y así es como apareció en escena el conocidísimo *qwerty*, o lo que es lo mismo, el teclado de distribución tan estrambótico que continúa aún hoy.

Si lo único que hubiera pretendido Sholes era *frenar a los tipeadores*, quizás hubiera podido poner las teclas que activan las letras "A" y "S" en puntas opuestas del teclado. En realidad, al poner en lados opuestos a *pares* de letras que aparecen muchas veces *juntas*, como "sh", "ck", "th" "pr" (siempre en inglés, claro), la idea era evitar que se "apelotonaran" y "se trabara" la máquina o *trabaran* el mecanismo.

En 1873, Remington & Sons, que fabricaban hasta ese momento fusiles y máquinas de coser, se interesaron por el invento de Sholes y comenzaron a producir masivamente máquinas de escribir con teclado "lento".

Como averiguó la excelente periodista científica y licenciada en biología Carina Maguregui, a los dactilógrafos no les quedó más remedio que aprenderlo, las escuelas lo tuvieron que enseñar y, cuando Mark Twain se compró una Remington, el nudo quedó atado para siempre.

Independientemente de los intentos que hubo desde hace más de 80 años, nunca más se pudo modificar el teclado. Y así estamos, hasta hoy: igual que hace 132 años.

La excepción que confirma la regla

Una cosa maravillosa que provee la costumbre es que uno empieza a usar una frase, la cree, la repite, la escucha (cuando otro la dice) y después, se transforma en algo así como una verdad que no admite discusiones.

Sin embargo, *la excepción que confirma la regla* es una frase que debería mortificarnos. Al menos un poco. Y deberíamos plantearnos algunas preguntas al respecto:

¿Cómo es eso de que uno tiene una regla que tiene excepciones?

¿Qué significa tener una regla, entonces?

¿Y qué quiere decir que una excepción *confirma... nada menos que... una regla*?

Como ven, las preguntas podrían seguir, pero lo que me importa acá es plantear un problema con la lógica. Y luego, averiguar de dónde provino este problema semántico.

Primera observación: una regla debería ser algo que tiene validez en un cierto contexto. Es un principio que establece una "verdad". Sería largo y fuera de la aspiración de este libro discutir para qué quiere uno reglas, o quién es el que dice que algo "es" o "no es" una regla. Pero creo que todos estaríamos de acuerdo en que una *regla* es algo que se *acepta* o *demuestra* que es verdad.

Ahora bien: qué querría decir que una *regla contiene excepciones*. Una excepción debería ser algo que *no cumple con la regla (aunque debería)*. Pero la lógica más elemental obliga a preguntarse: ¿cómo hago para saber si cuando tengo un objeto o un ejemplo para usar la regla, éste o ésta es una excepción o tiene que estar sometido a la regla?

Para ponerlo en un ejemplo, si uno dice: *todos los números naturales son mayores que siete,* y pretende que esto sea una regla, *sabe también* que esto no es cierto *para todos los posibles casos*. Es más: uno puede hacer una lista de los números *que no cumplen con la regla:*

$$(1, 2, 3, 4, 5, 6, 7) \qquad (*)$$

Estos siete números *no son mayores que siete*. En todo caso, *son excepciones* a la regla. Y si a nosotros nos dieran cualquier número, aunque no lo *viéramos* podríamos afirmar que el número es mayor que siete, *salvo que sea uno de los que figuran en (*)*.

Lo bueno que tiene esta regla es que si bien tiene excepciones, nosotros *sabemos cuáles son las excepciones, hay una lista de esas excepciones*. Entonces, uno se queda tranquilo con la regla, porque si a mí me dan un número cualquiera, yo confronto con la *lista* de las excepciones, y si no lo encuentro allí, *tengo la certeza de que es mayor que siete*.

A nadie se le ocurriría decir que si el número que me dieron es el cuatro, por ejemplo –*que no cumple la regla*–, este número es la excepción que confirma la regla.

Las reglas admiten excepciones, claro que sí. Pero entonces, junto con el texto de la regla, tiene que haber un *addendum* o apéndice en donde estén escritas las excepciones. Entonces, sí, dada cualquier posibilidad de confrontar la regla, o bien el objeto está entre las excepciones, o bien tiene que cumplir la regla.

Lo que no tendría sentido sería lo siguiente:

–Me dieron este número natural.

–Fijate, porque entonces es mayor que siete.

–No, me dieron el cuatro.

–Entonces, es una excepción que confirma la regla.

Este diálogo, sería interpretado como un diálogo "loco". Y estaría bien.

Otro ejemplo podría ser éste: "todas las mujeres se llaman Alicia". Ésa es la regla. Entonces, viene una mujer y no hace falta preguntarle cómo se llama, porque la regla dice, que *todas se llaman Alicia*. Sin embargo, ella dice llamarse Carmen. Cuando le contamos que existe la regla de que *todas las mujeres se llaman Alicia*, ella contesta que es una excepción que *confirma la regla*. Por supuesto, este último diálogo sería considerado "loco" también.

La moraleja de esta primera parte es que no hay problemas en aceptar que una regla pueda tener excepciones, pero esas excepciones tienen que estar en el mismo lugar en donde figura la regla.

Avancemos un paso más. En latín, la frase:

exceptio probat regulam in casibus non exceptis

se traduce como "la excepción confirma que la regla vale en los casos no exceptuados"... y yo puedo convivir con esta definición. Pero claro, también me doy cuenta de que no tendría ningún sentido entonces hacer reglas porque, en el momento de usar una, no sabríamos si en ese caso la podemos aplicar o es uno de los casos exceptuados.

Por último, rastreando el origen de este problema (que no es sólo patrimonio del castellano sino también de otros idiomas, como el inglés, por poner un ejemplo), uno se remonta entonces a la antigua Grecia, en donde una persona (todos eran científicos y sabios en esa época, de manera que esto que escribo no debería sorprender a nadie) estaba sentada en la puerta de su casa, con un cartel que decía: "tengo una regla. Y estoy dispuesto a 'testearla', a 'ponerla a prueba'". Es más: esta persona *desafiaba* a quien pusiera en duda *su regla* a que le trajera cualquier *potencial excepción.* Él estaba dispuesto a *derrotar al enemigo y demostrarle que no había excepciones. Que la regla, "estaba en regla".*

En consecuencia, otra persona (que por allí pasaba) sostenía que tenía una "excepción" y desafiaba al primero. Si la "excepción" permanecía en pie luego de testear la regla es porque *no había regla.* En cambio, si al finalizar la prueba, *la regla seguía viva,* entonces, la tal excepción... no era una excepción.

En realidad, el problema está en que el verbo CONFIRMAR está mal traducido. Lo que se pretendía decir es que la tal excepción *ponía a prueba a la regla. Confirmar la regla* quería decir que *la supuesta excepción no era tal.*

Nosotros, con el paso del tiempo, hemos aceptado con total ingenuidad que una regla puede tener excepciones (lo cual no estaría mal, siempre y cuando estuvieran "listadas" en alguna parte) y no nos cuestionamos la validez de la frase del principio.

Preguntas que se le hacen a un matemático (ya que uno no tiene ni idea de qué es lo que hace, ni para qué lo hace)

Como escribí antes, en general si a una persona le preguntan ¿qué hace un matemático? o ¿qué es la matemática?, la *enorme* mayoría de las personas contesta: ¿Es la ciencia de los números? (y responde con temor, porque no está muy seguro de que lo que está diciendo está bien o mal).

Peor aún: es el único ejemplo que tengo de que *los padres* de los chicos que van al colegio tienen la tendencia a aceptar como lógico que sus hijos acepten con resignación que no entienden "nada de matemática", porque ellos mismos tuvieron múltiples problemas con ella. Luego, ¿cómo no comprenderlos? Pero no sólo eso: no conozco ningún otro ejemplo en el que la gente se *ufane* de que no entiende nada. Como si saborearan que fuera así, como si lo disfrutaran. ¿Ustedes conocen algún otro ejemplo en donde alguien diga casi con *orgullo*… "yo, de esto, *no entiendo nada*"?

Veamos aquí algunas preguntas que les (nos) hacen a los matemáticos:

- ¿De qué trabajás?
- ¿Para qué se usa eso que hacés?
- ¿Siempre te dan las cuentas?
- 132 por 1.525. Vos que sos rápido para eso… ¿Cuánto da?
- ¿Se usan todavía los longarritmos? (sic).
- ¿Es verdad eso de que das el nombre y por el orden de las letras te dicen el futuro?
- ¿Qué número viene después del tres y medio?
- ¿Cuánto es pi?
- ¿Me enseñás eso de la superficie?
- ¿Tres dividido cero es uno, cero o tres?
- ¿Los "capicúas" traen suerte?
- ¿Viste la de Donald en el país de la matemática?

- ¿Hay algo de matemática que sirva para conquistar chicas?
- ¿Cuando hay cero grados no hay temperatura?
- ¿Conocés esta calculadora?
- ¿Sirve esto para jugar a la ruleta?
- ¿Tuviste que estudiar mucho?
- ¿Sos inteligente, no?
- ¿Cómo se lee este número: 527398393030303938737363553535353322?
- ¿Por qué elegiste eso?

En fin: la lista podría continuar, y estoy seguro de que quien llegó hasta aquí, tiene muchas otras para aportar. Lo desesperante es que nosotros, quienes tendríamos que tener la *obligación* de comunicar adecuadamente la matemática, estamos en una situación de *deudores permanentes*, porque no logramos el objetivo: mostrar la belleza que tiene.

Créanme: no son los alumnos ni los padres. Somos nosotros, los docentes.

Votaciones ¿son realmente la manera más justa de decidir?

Esto que voy a contar aquí pretende hacerlos pensar si algo que uno da por sobreentendido (que una votación es la manera más justa de elegir algo) *realmente* lo es.

Supongamos que uno tiene que elegir presidente de un país (lo mismo sería si uno tiene que elegir cuál es la favorita entre algunos tipos de torta). Sin ninguna duda, la manera que todo el mundo considera más justa es una votación. Y así debería ser. De todas formas, hay algunas personas (no necesariamente antidemocráticas... espere, un poco antes de criticarlas) que tienen otras ideas. Cuando uno analiza la situación desde un punto de vista matemático puede encontrar algunos tropiezos. Veamos.

De acuerdo con el matemático Donald Saari (quien probó recientemente un importante resultado con respecto a la teoría de la votación), es posible crear, a través del voto, cualquier elección que uno quiera. Es decir, *distorsionar la voluntad popular hasta hacerla coincidir con lo que uno quiere. Aunque uno no lo pueda creer*. Todo lo que uno tiene que saber es aproximadamente qué es lo que piensa la población o los potenciales votantes (cosa que se puede lograr a través de encuestas con niveles de error muy bajos en la actualidad). Entonces es posible crear "fórmulas" de manera tal que los votantes *elijan o aprueben unas por encima de otras, hasta lograr que voten por lo que uno quiere*, aunque ellos crean que están votando libremente. La clave es que quien maneja la "mayoría" son quienes están en control.

Veamos un ejemplo. Lo vamos a hacer con número reducido de votantes (30) y pocos candidatos (3). Pero la idea que uno saca de este caso será suficiente para advertir que esto puede hacerse en casos más generales. Supongamos entonces que hay 30 votantes y supongamos que hay 3 candidatos para elegir: A, B y C. Voy a usar una notación para indicar que los votantes prefieren al candidato A sobre el B. Es decir, si escribimos A > B, esto significa que la población, puesta a elegir *entre A y B*, elegiría a A. Por otro lado, si escribiéramos A > B > C, esto significa que puestos a elegir entre A y B, preferirían a A, y entre B y C elegirían a B. Pero también dice que si hubiera que elegir entre A y C elegirían a A. Ahora, pasemos al ejemplo:

10 votantes quieren A > B > C.
10 votantes prefieren B > C > A.
10 votantes elegirían C > A > B.   (*)

Es decir, tenemos esa distribución de los votantes en el caso de que tuvieran que ir eligiendo entre los tres candidatos. Supongamos ahora que uno tiene una elección, en donde primero hay que elegir entre dos candidatos, y el ganador compite con el tercero que no participó. Y supongamos que queremos hacer presidente a C. Primero, hacemos competir a B contra A. Mirando en la tabla que está en la página 198 (*), vemos que A ganaría con 20 votos si la gente tuviera que elegir entre A y B. Luego, lo hacemos competir al ganador (A) con el que queda (C), y mirando otra vez el diagrama (*) gana C (obtendría también 20 votos). Y con esto conseguimos el resultado que queríamos.

Si, para comprobar la teoría, uno prefiere que salga presidente A, hacemos "confrontar" primero a B contra C. Entonces, gana B. Este ganador, B, luego compite con A, y nosotros sabemos que A le gana (de acuerdo con *). Y queda presidente. Por último, si uno prefiere que B sea el presidente, hacen competir a A con C, y mirando otra vez la lista de (*) advertimos que ganaría C. Este ganador, C, compite con B, y en ese caso ganaría B. Y logramos nuestro cometido.

Vale la pena notar que en cada elección el *ganador* obtiene el 66% de los votos, con lo cual la gente diría que fue "una paliza". Nadie cuestionaría al ganador, ni al método.

El resultado de Saari es aún más interesante, porque sostiene que es capaz de "inventar" escenarios más increíbles con más candidatos, en donde, por ejemplo, *todos* prefieren a A sobre B, pero que él logra que B sea el ganador. El trabajo del matemático apareció en un artículo que se llama "Una exploración caótica de paradojas de sumas" o bien, "A Chaotic Exploration of Aggregation Paradoxes", publicado en marzo de 1995, en el SIAM Review, o sea, por la Society for Industrial and Applied Mathematics (Sociedad para la Matemática Industrial y Aplicada).[42]

---

[42] Este artículo fue extraído de la página de Internet de la American Mathematical Society y fue escrito por Allyn Jackson.

Jura ética

Cada vez que en la facultad de Ciencias Exactas y Naturales de la Universidad de Buenos Aires egresa algún alumno, debe jurar enfrente de sus pares y el decano de la facultad. En general, los juramentos se hacen por Dios y por la Patria; por Dios, la Patria y los Santos Evangelios; por el honor o por la Patria solamente. Las variantes son muchas pero esencialmente ésas son las principales.

Sin embargo, desde el año 1988, en la facultad de Ciencias Exactas y Naturales de la Universidad de Buenos Aires, un grupo de estudiantes, coordinados por Guillermo A. Lemarchand y apoyados por las autoridades de esa casa de altos estudios y por el Centro de Estudiantes, organizaron el Simposio Internacional sobre "Los Científicos, la Paz y el Desarme".

En plena vigencia de la Guerra Fría, se debatió el papel social que deben desempeñar los científicos y su responsabilidad como generadores de conocimientos que, eventualmente, podrían poner en peligro a la humanidad. Como resultado de ese Congreso se elaboró una fórmula de juramento de graduación —similar al juramento hipocrático de los médicos— mediante la cual los egresados de la Facultad de Ciencias Exactas y Naturales se comprometen a usar sus conocimientos en favor de la paz. Este juramento se realiza en forma optativa —afortunadamente lo eligen casi el 90% de los graduados— y su texto quedó redactado de la siguiente manera:

Teniendo conciencia de que la ciencia y en particular sus resultados pueden ocasionar perjuicios a la sociedad y al ser humano cuando se encuentran ausentes los controles éticos, ¿juráis que la investigación científica y tecnológica que desarrollaréis será para beneficio de la humanidad y a favor de la paz, que os comprometéis firmemente a que vuestra capacidad como científicos nunca servirá a fines que lesionen la dignidad humana guiándoos por vuestras convicciones y creencias perso-

*nales, asentadas en auténtico conocimiento de las situaciones
que os rodean y de las posibles consecuencias de los resultados
que puedan derivarse de vuestra labor, no anteponiendo la re-
muneración o el prestigio, ni subordinándolos a los intereses de
empleadores o dirigentes políticos?*

Si así no lo hiciéreis, vuestra conciencia os lo demande.

Creo que el texto es autoexplicativo. Pero más allá de una jura simbólica, es una toma de posición frente a la vida. Como la
celebro, la quería compartir aquí en este libro y ponerla a consideración de aquellas universidades que no tengan una fórmula de juramento como la que antecede.

Cómo tomar un examen

Hace muchos años que me hago una pregunta: ¿es razonable el sistema de exámenes que se usa en la Argentina? O en todo caso, el tipo de exámenes que se utiliza hoy en día, en casi
todo el mundo, ¿es razonable? (Me refiero a los exámenes en los
colegios primarios y secundarios en particular.)

Yo sé que lo que voy a escribir tiene un costado provocati-
vo y que muchos docentes (y muchos no docentes también) van
a estar en desacuerdo. Pero no importa. Sólo pretendo llamar
la atención sobre algunos puntos que creo vale la pena investigar. Y discutir. Creo que el siglo XXI será testigo de un cambio es-
tructural en este rubro. Los estudiantes tendrán otra participa-
ción. La relación docente-alumno *tiene* que cambiar. Y los
sistemas de evaluación también.

El examen *tipo*, el que conocemos habitualmente, en donde un profesor piensa una serie de problemas y el alumno tiene
un determinado tiempo para contestarlos, tiene un componente perverso difícil de disimular: una persona, generalmente un docente, tiene a un grupo de jóvenes o chicos a su merced y sutil-

mente abusa de su autoridad. El docente es quien establece todas las reglas y sus decisiones son –casi– inapelables. Así jugado, el juego es muy desparejo. Los jóvenes suelen estar a merced de este(a) señor(a) que ha decidido tomar en sus manos la tarea de "examinar". Nada menos.

Hasta hace relativamente poco, las maestras usaban las reglas para pegar a los niños en los nudillos o en las manos, les ataban el brazo izquierdo a los chicos para estimularlos a que escribieran con la derecha y se transformaran en "normales", no se podía usar bolígrafo, ni secante, ni borrar, ni tachar, ni tener agujeros en la carpeta, etcétera. Se estimulaba a memorizar y se premiaba al joven rápido que recordaba mucho y se sacaba diez en todo. Se lo ponía como ejemplo de mejor persona porque parecía mejor alumno. Dentro de unos años, vamos a mirar hacia atrás y nos vamos a encontrar tan avergonzados como quienes se reconocen en los ejemplos anteriores.

EL EXAMEN DESDE UN ALUMNO

El docente es quien asume, entre sus tareas, la de averiguar si los alumnos estudiaron, se prepararon, si comprendieron, si dedicaron tiempo y esfuerzo... si saben. Pero en general suelen omitir una pregunta a ellos mismos muy importante: ¿los interesaron antes?

¿Quién tiene ganas de dedicar su tiempo, su energía y esfuerzo a algo que no le interesa? ¿Sabemos los docentes despertar curiosidad? ¿Quién nos preparó para eso? ¿Quién nos enseñó o enseña a generar apetito por aprender? ¿Quién se preocupa por bucear en los gustos o inclinaciones de los jóvenes para ayudarlos a desarrollarse por allí?

Hagan una prueba: tomen un niño de tres años y cuéntenle cómo se concibe una criatura. Es muy posible que si ustedes tienen buena sintonía con el niño, él los escuche, pero después salga corriendo a jugar con otra cosa. En cambio, si ustedes hacen las mismas reflexiones delante de un niño de seis o siete años, verán cómo el interés es diferente, la atención es distinta. ¿Por qué? Porque lo están ayudando a encontrar la respuesta a una pregunta que él ya se hizo. El mayor problema *de la educación en los primeros niveles es que los docentes dan respuestas a preguntas que los niños no se hicieron*; tener que tolerar eso es decididamente muy aburrido. ¿Por qué no prueban al revés? ¿Puede todo docente explicar por qué enseña lo que enseña? ¿Puede explicar para qué sirve lo que dice? ¿Es capaz de contar el origen del problema que llevó a la solución que quiere que aprendamos?

¿Quién dijo que la tarea del docente es sólo dar respuestas? *La primera cosa que un buen docente debiera hacer es tratar de generar preguntas.* ¿Ustedes se sentarían a escuchar respuestas a preguntas que no se hicieron? ¿Lo harían con ganas? ¿Lo harían con interés? ¿Cuánto tiempo le dedicarían? ¿Por qué lo harían? Para cumplir, por elegancia, por respeto, porque no les queda más remedio, porque están obligados, pero tratarían de escapar lo más rápido que pudieran. Los jóvenes o los niños no pueden. En cambio, si uno logra despertar la curiosidad de alguien, si le pulsa la cuerda adecuada, el joven saldrá en búsqueda de la respuesta porque le interesa encontrarla. La encontrará solo, se la preguntará al compañero, al padre, al maestro, la buscará en un libro, no sé. Algo va a hacer, porque está motorizado por su propio interés.

La situación, vista desde un alumno, podría resumirse así: "¿Por qué estoy obligado a venir en el momento que me dicen, a pensar en lo que me dicen, a no mirar lo que otros escribieron y publicaron al respecto, a no poder discutirlo con mis compañeros, a tener que hacerlo en un tiempo fijo, a no poder ir al baño si necesito hacerlo, a no poder comer si tengo hambre o beber si tengo sed, y encima puede que me sorprendan con preguntas sin darme tiempo para prepararlas?"

Puesto todo junto, ¿no luce patético? Es probable que varios alumnos no logren nunca resolver los problemas del examen que tienen delante, pero no porque desconozcan la solución, sino porque no lleguen nunca a superar todas las vallas que vienen antes.

Desde el año 1993 estamos haciendo una experiencia en la Competencia de Matemática que lleva el nombre de mi padre. Los alumnos de todo el país que se presentan a rendir la prueba pueden optar por anotarse en pareja. Esto es: si quieren, pueden rendir individualmente, pero si no, pueden elegir un compañero o compañera para pensar los problemas en conjunto, buscarse alguien con quien discutir y polemizar los ejercicios. Este método, ¿no se parece más a la vida real? ¿No nos llenamos la boca diciendo que tratamos de fomentar el trabajo en grupo, las consultas bibliográficas, las interconsultas con otros especialistas, las discusiones en foros, los debates... en el mundo de todos los días? ¿Por qué no tratamos de reproducir estas situaciones en la ficción de un aprendizaje circunstancial?

En el colegio primario o secundario, en donde los maestros o profesores tienen un contacto cotidiano con los alumnos –si la relación interactiva docente-alumno funcionara efectivamente como tal– no entiendo las pruebas por sorpresa. ¿No es suficiente esa relación que dura meses para detectar quién es el que entendió y quién no? ¿Hace falta como método didáctico tirarles la pelota como si estuvieran jugando al distraído? Estos sistemas de examinación tienen un fuerte componente de desconfianza. Pareciera que el docente sospecha que el alumno no estudió o que no sabe, o que se va a copiar, y entonces lo quiere descubrir. Y allí empieza la lucha. Una lucha estéril e incomprensible, que exhibe la disociación más curiosa: nadie pelearía contra quien lo ayuda, ni trataría de engañarlo. Quizás el problema ocurra porque el alumno no logra descubrir que la relación está dada en esos términos, y como la responsabilidad mayor pasa por los que estamos de este lado, no hay dudas de que los que tenemos que cambiar somos nosotros.

No propongo el "no examen". Es obvio que para poder progresar en cualquier carrera, en cualquier estadio de la educación, uno tiene que demostrar –de alguna manera– que sabe lo que debería saber. Eso está fuera de discusión. Discrepo con la metodología, me resisto a este "tipo" de examen, sencillamente porque no tengo claro que mida lo que pretende medir.

De lo que sí estoy seguro, como escribí más arriba, es de que en este siglo habrá muchos cambios al respecto. Pero hace falta que empecemos. Y una buena manera es empezar por casa, discutiendo por qué enseñamos lo que enseñamos, por qué enseñamos *esto* en lugar de *esto otro*, para qué sirve lo que enseñamos, *qué preguntas contesta lo que enseñamos* y aun más importante: *¿quién hizo las preguntas: el alumno o el docente?*

Niños prodigio

¿Qué significa ser un "niño prodigio"? ¿Qué condiciones hay que reunir? ¿Ser más rápido que tus pares o estar más adelantado, o ser más profundo, más maduro? ¿O es hacer más temprano lo que otros hacen más tarde o nunca?

Lo que me queda claro es que los humanos necesitamos categorizar, compartimentar. Eso nos tranquiliza. Si en promedio un niño empieza el colegio a los seis años, el secundario a los trece y la facultad cuando ya puede votar... cualquier "corrimiento" de lo preestablecido lo distingue, lo separa, lo "anormaliza".

Mi vida fue distinta, pero yo no lo supe hasta que pasaron algunos años. Yo hice el primer grado de la escuela primaria como alumno libre y eso me permitió entrar en lo que hoy sería segundo grado cuando tenía todavía cinco años. Cuando terminé "quinto" me propusieron hacer el ingreso en el Colegio Nacional de Buenos Aires. Lo preparé, pero después no me dejaron rendir el examen porque dijeron que era demasiado pequeño: tenía diez años. Entonces, mientras cursaba sexto grado estudié todas las materias del primer año del secundario para rendirlas como alumno libre otra vez. Y lo hice. Por eso, entré con once años al segundo ciclo lectivo. Y luego, mientras cursaba el quinto año por la mañana hacía en paralelo el curso de ingreso a Ciencias Exactas por la noche. Es decir, hice mi primera incursión en una facultad cuando sólo tenía catorce años. Ah, me recibí como licenciado en matemática cuando tenía diecinueve y como doctor un poco más adelante. Y además estudiaba piano con el gran pianista argentino Antonio De Raco, quien me llevó a tocar *La Tempestad* de Beethoven en Radio Provincia cuando sólo tenía once años.

Ése es el racconto. Ahora, algunas reflexiones. Para los de alrededor yo entraba en la categoría de "prodigio": ¡es un bocho en matemática!, ¡sabe logaritmos! (qué estupidez, por Dios). ¡Tenés que escucharlo tocar el piano! ¿Prodigio yo? Yo no tenía idea de lo que estaba haciendo. Me costaba conseguir las cosas igual que a mis compañeros. Es obvio que podía hacerlo, pero también es obvio que tenía todas las condiciones para poder desarrollarlo. En la casa que yo nací, con los padres que tuve, ¿cómo no me iba a desarrollar más rápido si no había virtualmente restricciones? ¿De qué prodigio me hablan? No desconozco los trastornos emocionales que puede acarrear tener compañeros mayores. Pero ¿la madurez es sólo una cuestión cronológica? Yo no recuerdo haber tenido problemas con eso. Y quería jugar a la pelota. Y lo hacía.

Aún hoy no encontré una buena definición de lo que es la "inteligencia", pero hay una fuerte tendencia entre los humanos a considerarla un bien "heredado" o "genético". Y eso lleva a la veneración. Y como no depende de uno, es inalcanzable: "Lo que Natura non da, Salamanca non presta". ¡Mentira! Yo me inclino por valorar las condiciones del medio ambiente donde un niño se desarrolla. Todos los niños nacen con habilidades, con destrezas. El problema reside en tener los medios económicos que permitan descubrirlas y un entorno familiar que las potencie y estimule. Yo lo tuve, y eso no me transformó en un prodigio, sino en un privilegiado.

Historia de los cinco minutos y los cinco años

Un señor estaba trabajando en su fábrica, cuando, súbitamente, una de las máquinas vitales para su línea de producción se detuvo. El señor, acostumbrado a que esto sucediera algunas veces, intentó ver si podía resolver el problema. Probó con la electricidad, revisando el aceite que utilizaba la máquina, y probó tratando de hacer arrancar el motor en forma manual. Nada. La máquina seguía sin funcionar.

El dueño empezó a transpirar. *Necesitaba que la máquina funcionara.* La línea de producción completa estaba detenida porque esta pieza del rompecabezas estaba roto.

Cuando ya se habían consumido varias horas y el resto de la fábrica estaba pendiente de lo que pasaba con la máquina, el dueño se decidió a llamar a un especialista. No podía perder más tiempo. Convocó a un ingeniero mecánico, experto en motores. Se presentó una persona relativamente joven o, en todo caso, más joven que el dueño. El especialista miró la máquina un segundo, intentó hacerla arrancar y no pudo, escuchó un ruido que le *indicó algo* y abrió la "valijita" que había traído. Extrajo un destornillador, abrió una compuerta que no permitía ver al motor y se dirigió a un lugar preciso. Sabía dónde ir: ajustó un par de cosas e intentó nuevamente. Esta vez, el motor arrancó.

El dueño, mucho más tranquilo, respiró aliviado. No sólo la máquina sino que toda la fábrica estaban nuevamente en funcionamiento. Invitó al ingeniero a pasar a su oficina privada y le ofreció un café. Conversaron de diferentes temas pero siempre con la fábrica y su movimiento como tópico central. Hasta que llegó el momento de pagar.

—¿Cuánto le debo? —preguntó el dueño.

—Me debe 1.500 dólares.

El hombre casi se desmaya.

—¿Cuánto me dijo? ¿1.500 dólares?

–Sí –contestó el joven sin inmutarse y repitió–, 1.500 dólares.

–Pero escúcheme–, casi le gritó el dueño–. ¿Cómo va a pre-
tender que le pague 1.500 dólares por algo que le llevó cinco
minutos?

–No, señor –siguió el joven–. Me llevó cinco minutos y cinco años de estudio.[43]

¿Por qué escribí este libro?

Es una historia repetida. No importa dónde, no importa con
quién, no importa cómo, siempre hay espacio para expresar el
odio hacia la matemática. Pero ¿por qué? ¿Por qué genera tanta reacción contraria? ¿Por qué tiene tan mala prensa?

Como matemático me tropiezo muchísimas veces con las preguntas obvias: ¿para qué sirve? ¿Cómo se usa?... y ustedes pueden completar aquí con las propias. O peor aún: niños (y padres)
dicen: "no entiendo nada", "me aburro", "nunca fui bueno para
eso"... Así... "eso". La matemática es una especie de "eso" o eventualmente "ésa", que está poco menos que omnipresente en los colegios y escuelas, y que se exhibe como la torturadora universal.

La matemática es sinónimo de casi todos los momentos tris-
tes de nuestro crecimiento escolar. Es sinónimo de *frustración*.
Cuando éramos pequeños, nada exhibía mejor nuestra impoten-
cia que un problema de matemática. Un poco más adelante, ya
en los colegios secundarios, uno se encuentra con problemas de

---

[43] Un final alternativo es el siguiente:
–¿Cuánto me dijo? ¿1.500 dólares? Mándeme por favor una factura detallada.
El joven le manda una factura que dice:
"Costo del tornillo que se cambió: 1 dólar
Costo de saber qué tornillo cambiar: 1.499 dólares".
... y el dueño pagó sin protestar más.

física y química, pero, esencialmente, las mayores dificultades están siempre asociadas con la matemática.

No conozco el dato exacto, pero apostaría a que si uno hiciera una revisión en *todos los colegios secundarios* y se hiciera la siguiente pregunta: dado un alumno que se lleva *más de una asignatura a examen (sea en diciembre o en marzo), ¿en cuántos casos una de las dos será matemática?*, estoy seguro de que el resultado sería sorprendente. ¿Cuánto dará? ¿El 80% de los casos? ¿Más? Estoy seguro de que rondará ese número.

Un estudiante detecta rápidamente que la historia es algo que pasó. Le gustará o no, le interesará o no, pero pasó. Uno puede analizar los hechos del presente como una consecuencia de lo pasado. En todo caso, el estudiante (y el docente) podrán o no entender para qué les sirve estudiarla, pero el estudiante no necesita preguntarse *qué es.*

Con la biología lo mismo: las plantas están, los animales también, la clonación sale en los diarios y uno escucha hablar de ADN y la decodificación del genoma humano por televisión. Geografía, contabilidad, lenguaje, gramática, idioma... todo tiene una autoexplicación. La matemática no tiene *abogado que la defienda. No hay ninguna otra asignatura de la currícula que se pueda comparar. La matemática pierde siempre.* Y como no tiene buena prensa, se hace incomprensible que a uno lo obliguen a estudiarla. ¿Para qué?

Los propios padres de los jóvenes están de acuerdo, porque ellos mismos tuvieron malas experiencias también.

Para mí hay una conclusión obvia. Los peores enemigos que tiene la matemática somos los propios docentes, porque no logramos despertar en los jóvenes que tenemos enfrente la curiosidad mínima para poder disfrutarla. La matemática contiene una belleza infinita, pero si las personas que la tienen que disfrutar no la pueden ver, la culpa es de quien la expone.

Enseñar a disfrutar de pensar, de tener un problema, de regodearse aun cuando uno no puede encontrar la solución pero lo tiene como un desafío, es una tarea de los docentes. Y no es sólo un problema *utilitario*. No abogo por eso tampoco: no pretendo que alguien haga una lista de *potenciales usos* para convencer a la audiencia. No. Hablo de la magia de poder pensar, seducir mostrando lo que se ignora, desafiar a la mente.

Eso es lo que no tiene la matemática: no tiene quién la defienda.

Soluciones

1. Solución al problema del hotel de Hilbert

a) Si en lugar de una persona llegan dos, lo que el conserje tiene que hacer es pedirle al de la habitación 1 que vaya a la 3, al de la 2 a la 4, al de la 3 a la 5, al de la 4 a la 6, etcétera. Es decir, pedirle a cada uno que se corra *dos habitaciones*. Eso dejará las *dos* primeras habitaciones libres que servirán para alojar a los dos pasajeros recién llegados.

b) Si en lugar de dos pasajeros llegan cien, entonces lo que hay que hacer es decirle al señor de la habitación 1 que pase a la 101, al de la 2, a la habitación 102, al de la 3, a la habitación 103, y así siguiendo. La idea es que cada uno se corra *exactamente* cien habitaciones. Eso dejará cien habitaciones libres, que ocuparán los cien nuevos pasajeros que recién arribaron.

c) Con la misma idea que solucionamos las partes a) y b) se responde ésta. Si los que llegan son *n* nuevos pasajeros, la solución es correr cada pasajero que ya ocupaba una habitación, *n* habitaciones. Es decir: si alguien está en la habitación x, pasarlo a la habitación (x + n). Eso dejará *n* habitaciones libres para los recién llegados. Y para terminar de contestar la pregunta que plantea el ítem c), la respuesta es sí, sea cual fuere el número de personas que llega, SIEMPRE se puede resolver el problema como acabamos de indicar.

d) Por último, si los que llegan son *infinitos* nuevos pasajeros, entonces, ¿qué hacer? Una posibilidad es decirle al de la pieza 1 que pase a la 2, al de la 2 que pase a la 4, al de la 3 que pase a la 6, al de la 4 que pase a la 8, al de la 5 que vaya a la 10, etcétera. Es decir, cada uno pasa a la habitación que está indicada con *el doble* del número que tiene en ese momento. De esta forma, todos los recién llegados tienen una habitación (las que están marcadas con un número *impar*) mientras que los pasajeros que ya estaban antes de la invasión de nuevos turistas, ocuparán ahora todas las habitaciones con números *pares* en la puerta.

MORALEJA: los conjuntos infinitos tienen propiedades muy peculiares, pero, entre otras, la que atenta contra la intuición es que un subconjunto "más pequeño", "contenido" dentro de un conjunto, puede contener el mismo número de elementos que el *todo*. Sobre este tema hablamos bastante en el capítulo de los *distintos tipos de infinitos*.

2. SOLUCIÓN AL PROBLEMA DE QUE $1 = 2$

El razonamiento es perfecto hasta un punto: cuando en el texto dice:
Sacando factor común en cada miembro,
$2a (a-b) = a (a-b)$
Luego, simplificando en ambos lados por (a-b), se tiene:
$2a = a$.
Y aquí me quiero detener: ¿se puede simplificar? Es decir, analicemos lo que quiere decir "simplificar" y si se puede *siempre* simplificar.
Por ejemplo:
Si uno tiene $10 = 4 + 6$
$2 . 5 = 2 . 2 + 2 . 3$
$2 . 5 = 2 (2 + 3)$ (*)
en este caso, aparece el número 2 en los dos términos y uno, si simplifica (es decir, como el número 2 aparece como factor en ambos lados, uno se "deshace" de él) y resulta:
$5 = (2+3)$.   (**)
Como se ve, en este caso, la igualdad que había en (*), sigue valiendo en (**)
En general, si uno tiene
$a . b = a . c$,
¿se puede *siempre* simplificar? O sea, ¿se puede *siempre* eliminar el factor a que aparece en ambos miembros? Si uno simplifica, ¿siempre vale la igualdad $b = c$?
Fíjense en el siguiente caso:

0 = 2 . 0 = 3 . 0 = 0   (***)

Es decir, como uno sabe que 0 = 0, y tanto 2.0 como 3.0 son cero, se deduce la igualdad (***).

Luego, de la igualdad

2 . 0 = 3 . 0

uno podría hacer lo mismo que hizo en el caso del número 2 un poco más arriba. Ahora, lo que debería valer, es que si uno "elimina" el número 0 de cada miembro (ya que en ambos está como factor), se tendría:

2 = 3

que claramente es falso. El problema, entonces, es que para que uno pueda "eliminar" o "simplificar", el factor del que se va a deshacer tiene que ser diferente de 0. O sea, una vez más, aparece la *imposibilidad de dividir por cero*.

Lo que seguía de la deducción de que 1 = 2, ahora resulta irrelevante, porque el problema se plantea cuando uno quiere dividir por (a-b), que es cero, porque al principio de todo, escribimos que *a = b*, y por lo tanto,

a - b = 0

3. SOLUCIÓN AL PROBLEMA DE LA POTENCIAL DOBLE DESCOMPOSICIÓN DEL NÚMERO 1.001

El número 1.001 = 7 . 143 = 11 . 91

Esto parecería atentar contra la validez del teorema fundamental de la aritmética, porque pareciera que el número 1.001 tiene *dos descomposiciones*. Sin embargo, el problema es que ni 143 ni 91 son primos.

143 = 11 . 13

y

91 = 7 . 13

Luego, podemos respirar tranquilos. El teorema sigue *vivito y coleando*.

4. SOLUCIÓN A LA CORRESPONDENCIA
ENTRE LOS NÚMEROS
NATURALES Y LOS RACIONALES POSITIVOS Y NEGATIVOS

Al 0/1 le asignamos el 1
Al 1/1 le asignamos el 2
Al -1/1 le asignamos el 3
Al 1/2 le asignamos el 4
Al -1/2 le asignamos el 5
Al 2/2 le asignamos el 7
Al -2/2 le asignamos el 8
Al 2/1 le asignamos el 9
Al -2/1 le asignamos el 10
Al 3/1 le asignamos el 11
Al -3/1 le asignamos el 12
Al 3/2 le asignamos el 13
Al -3/2 le asignamos el 14
Al 3/3 le asignamos el 15
Al -3/3 le asignamos el 16
Al 2/3 le asignamos el 17
Al -2/3 le asignamos el 18
Al 1/3 le asignamos el 19
Al -1/3 le asignamos el 20
Al 1/4 le asignamos el 21
Al -1/4 le asignamos el 22
Al 2/4 le asignamos el 23
Al -2/4 le asignamos el 24
Al 3/4 le asignamos el 25
Al -3/4 le asignamos el 26
Al 4/4 le asignamos el 27...

...y así sucesivamente.

5. Solución al problema de un punto en un segmento

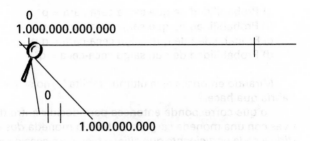

6. Solución al problema de la moneda cargada

Supongamos que la probabilidad de que salga cara es p y la probabilidad de que salga ceca es q.

Antes de escribir la solución, analicemos qué pasaría si tiráramos esta moneda al aire *dos veces seguidas*. ¿Cuáles son los resultados posibles?

1. Cara - Cara
2. Cara - Ceca
3. Ceca - Cara   (*)
4. Ceca - Ceca

Es decir, hay cuatro resultados posibles.

¿Cuál es la probabilidad de que salga (1) (o sea, cara-cara)? La probabilidad será igual a $p \cdot p = p^2$. ¿Por qué? Ya sabemos que la probabilidad de que salga cara la primera vez es p. Si ahora repetimos el proceso, la probabilidad de que *vuelva* a salir cara, sigue siendo p. Como estamos tirando la moneda *dos veces seguidas,* las probabilidades se multiplican y resulta $(p \cdot p) = p^2$. (**) [44]

---

[44] En realidad, si todavía no se convencieron de este hecho (me refiero a que hay que multiplicar las probabilidades), piensen en que la probabilidad está definida como el cociente entre los *casos favorables* sobre los *casos posibles*. Y en el caso del mismo evento repetido dos veces, los casos *favorables* se calculan entonces, *multiplicando los casos favorables por sí mismos*. Y lo mismo sucede con los *casos posibles*, que se obtienen *elevando los casos posibles al cuadrado*.

Una vez que esto está claro, entonces calculemos la probabilidad de que suceda cada uno de los eventos que figuran en la lista (*)

a) Probabilidad de que salga cara-cara = p^2
b) Probabilidad de que salga cara-ceca = p.q
c) Probabilidad de que salga ceca-cara = q.p
d) Probabilidad de que salga ceca-ceca = q^2

Mirando entonces esta última "tablita", ¿no se les ocurre qué habría que hacer?

Lo que corresponde entonces para decidir entre dos alternativas con una moneda cargada es tirar la moneda *dos veces y pedirle a cada participante que elija: o bien cara-ceca o bien ceca-cara.* Como se ve en esta última lista, las probabilidades son las mismas: una es p.q y la otra es q.p Sin embargo, si sale cara-ceca, gana uno. Y si sale ceca-cara, gana el otro.

La pregunta que falta hacer es: ¿y si sale cara-cara o ceca-ceca? En ese caso, lo que hay que hacer es tirar de nuevo la moneda dos veces hasta desempatar.

7. PENSAMIENTO LATERAL

SOLUCIÓN AL PROBLEMA DEL ASCENSOR
Obviamente, el señor en cuestión sufre de enanismo. Ése es el problema por el cual no puede subir hasta su departamento por el ascensor: el señor no llega con sus manos hasta el décimo piso.

SOLUCIÓN AL PROBLEMA DEL BAR
El señor tiene hipo. Lo que hace el barman es asustarlo y eso es suficiente para quitarle el problema. Por eso el señor agradece y se va.

SOLUCIÓN AL PROBLEMA DEL "AHORCADO"
El señor se colgó luego de treparse a un bloque enorme de hielo, que luego se derritió, obviamente.

Varias veces, este problema aparece con un agregado: en el piso aparecía un charco de agua, o bien el piso estaba mojado o húmedo.

SOLUCIÓN AL PROBLEMA DEL "MUERTO" EN EL CAMPO
El señor había saltado de un avión con un paracaídas que no se abrió. Y ése es el paquete que está "sin abrir" a su lado.

SOLUCIÓN AL PROBLEMA DEL BRAZO QUE LLEGA POR CORREO
Tres hombres quedaron atrapados en una isla desierta. Desesperados de hambre, decidieron amputarse los tres brazos izquierdos respectivos para comerlos. Se juraron entre sí que cada uno permitiría que le cortaran el brazo. Uno de ellos era médico y fue quien cortó el brazo de sus dos compañeros. Sin embargo, cuando terminaron de comer los brazos fueron rescatados. Pero como el juramento todavía estaba pendiente, el médico se hizo amputar el brazo y se los envió a sus colegas en la expedición.

SOLUCIÓN AL PROBLEMA DEL HOMBRE QUE PRUEBA LA COMIDA
Y SE PEGA UN TIRO
El hecho es que ambas personas habían naufragado en un barco en donde viajaban ellos dos y el hijo de uno de ellos. En el accidente murió el hijo. Cuando el padre, ahora en el restaurant, probó el plato que habían pedido (albatros), se dio cuenta de que él nunca había percibido ese gusto y descubrió lo que había pasado: había estado comiendo la carne de su propio hijo y no la carne del animal (albatros) como siempre le habían hecho creer.

SOLUCIÓN AL PROBLEMA DEL HOMBRE QUE DESCUBRIÓ
QUE SU MUJER HABÍA MUERTO BAJANDO LAS ESCALERAS
El señor estaba bajando las escaleras de un edificio en donde había un hospital. Mientras lo hacía, se cortó la luz y él sabía que no había un aparato generador de corriente. Su mujer estaba conectada a un respirador artificial que requería de electricidad para mantenerla viva. Ni bien se dio cuenta de que se había cortado la corriente, eso implicaba forzosamente la muerte de su mujer.

SOLUCIÓN AL PROBLEMA DE LA MUJER QUE SE MURIÓ
CUANDO SE DETUVO LA MÚSICA
La mujer era una equilibrista del circo que caminaba sobre una cuerda muy tensa que unía dos postes con una cabina en cada esquina. Mientras la mujer caminaba con una varilla en sus

manos y la cara tapada, la señal de que había llegado a destino era que el director de la orquesta detenía la música. Una vez,
el director enfermó y fue reemplazado por otro que no conocía
el dato. La orquesta se detuvo antes. La mujer creyó estar a salvo e hizo un movimiento inesperado. Cayó y murió al detenerse la música.

SOLUCIÓN AL PROBLEMA DE LA HERMANA QUE MATA A LA OTRA
    Ellas eran las dos únicas que quedaban representando a la fa-
milia; una de las hermanas se había enamorado a primera vista
de este hombre y nunca sabría cómo hacer para encontrarlo. Sin
embargo, era evidente que él conocía a alguien de la familia; por
eso había ido al funeral de la madre. Entonces, la única manera de
volver a verlo, sería en un nuevo funeral. Y por eso mata a la hermana.

8. PROBLEMA DE LOS TRES INTERRUPTORES DE LUZ

    Lo que uno hace es lo siguiente. Mueve uno de los interrup-
tores (cualquiera) hacia la posición de "encendido" y espera quince minutos (sólo para fijar las ideas, no es que haga falta tanto).
Ni bien pasó este tiempo, uno vuelve el interruptor que tocó a la
posición de "apagado" y "enciende" uno de los otros dos. En ese
momento entra en la habitación.
    Si la luz está encendida, uno sabe que el interruptor que es-
tá buscando es el que movió en segundo lugar.
    Si la luz está apagada pero la bombita está caliente, eso sig-
nifica que el interruptor que activa la luz es el primero, el que uno
dejó en la posición de "encendido" durante quince minutos (por
eso queríamos el tiempo... para que la "bombita" aumentara su
temperatura).
    Por último, si la bombita está apagada y además, al tocarla,
no nota que haya diferencias con la temperatura ambiente, eso
significa que el interruptor que activa la luz es el tercero, el que
uno nunca tocó.

9. SOLUCIÓN AL PROBLEMA DE LOS 128 PARTICIPANTES EN UN TORNEO DE TENIS

La tentación que uno tiene es la de dividir el número de participantes por dos, con lo que quedan 64 partidos para la primera ronda. Como se elimina la mitad de ellos, quedarán, después de esos 64 partidos, 64 competidores. Luego, los dividimos en dos otra vez, y tendremos 32 partidos. Y así siguiendo. Resultaría que uno tiene que sumar la cantidad de partidos hasta llegar al partido final.

Pero les propongo pensar el problema de una forma distinta. Como hay 128 participantes, para que uno quede eliminado tiene que perder un partido. Nada más que uno. Pero tiene que perderlo. Luego, si hay 128 participantes al comienzo del torneo, y al final queda uno (el campeón, quien es el *único que no perdió ninguno de los partidos que jugó)*, significa que los restantes 127, para haber quedado eliminados tienen que haber perdido *exactamente un partido.* Y como en cada partido siempre hay *exactamente un ganador y un perdedor,* lo que tuvo que pasar es que tuvieron que jugarse *127 partidos* para que quedaran eliminados todos y quedara uno sólo que fue *el único que los ganó todos.*

Moraleja: se jugaron exactamente 127 partidos.

Si lo hubiéramos hecho de la otra forma, el resultado es (obviamente) el mismo: 64 partidos en la primera ronda, 32 después, 16 en los dieciseisavos de final, 8 en los octavos de final, 4 en las cuartos de final, dos en las semifinales y uno en la final. Si uno suma todos estos partidos:

$$64 + 32 + 16 + 8 + 4 + 2 + 1 = 127$$

En el caso de ser únicamente 128 participantes, es fácil ir sumando o haciendo la cuenta. Pero la idea anterior serviría en el caso de que hubiera habido 1.024 participantes, en cuyo caso, el total de partidos a jugarse sería de 1.023.

10. SOLUCIÓN AL PROBLEMA DEL BAR

Cada persona entró con 10 pesos en su bolsillo. Tenían que pagar la cuenta de 25 pesos. Cada uno puso sus 10 pesos y el mozo se llevó los 30.

Cuando volvió, trajo 5 billetes de un peso. Cada uno de los comensales se llevó un billete de un peso y le dio *dos* billetes al mozo.

Eso quiere decir que, como cada uno pagó 9 pesos (el billete de 10 que puso menos el billete de un peso que le devolvieron), en total, pagaron 27 pesos. ¡Y eso es exactamente lo que suma la cuenta (25 pesos) más la propina (2 pesos)!

Es incorrecto decir que los tres pagaron 9 pesos (lo cual suma 27) más los dos pesos de propina para el mozo (que sumados a los 27 resulta en los 29), porque en realidad, la cuenta más la propina suman 27, que es exactamente lo que pagaron entre los tres.

Cuando uno quiere multiplicar por tres los 9 pesos que cada uno puso y obtiene los 27 pesos, es porque uno *ya incluyó la propina más la cuenta.*

El problema engaña, porque a uno le presentan como dificultad que pagaron 27 pesos *más* los dos pesos de propina, cuando en realidad, en esos 27 pesos ya está incluida la recompensa para el mozo.

11. Solución al problema de los antepasados

Lo que no tiene en cuenta el argumento es que cada antepasado pudo (y de hecho tiene) un montón de hijos y nietos (por no seguir con bisnietos o tataranietos, etcétera).

Por ejemplo, mi hermana Laura y yo compartimos los mismos antepasados: ambos tenemos los mismos padres, los mismos abuelos, los mismos bisabuelos, etcétera. Pero si uno se corre "un poco" y considera un primo (*no un número primo, sino una prima hermana),* la cosa cambia: mi prima Lili y yo tenemos sólo seis abuelos distintos (y no ocho como los que tendría con cualquier otra persona que no fuera ni un primo hermano ni un hermano/a).

Es verdad que hace 250 años yo tenía más de mil antepasados, pero también es verdad que los compartía con mucha otra gente que ni siquiera conozco.

Por ejemplo (y los invito a que hagan un "árbol genealógico", aunque no conozcan los nombres de sus antepasados): si alguna persona y ustedes tuvieron un *bisabuelo en común,* entonces, de los 1.024 antepasados que ustedes tienen, comparten con esa persona 128. Hagan la cuenta y vean que entonces llegan a tener exactamente 128 antepasados en común.

Esta situación, naturalmente, reduce *muchísimo* el número de antepasados, porque hace que dos personas que no se conocen tengan muchísimos antepasados comunes. Insisto: siéntense con un papel y un lápiz y hagan un "dibujito" para convencerse. También habría que considerar que quizá los 1.024 antepasados que teníamos hace 250 años *no fueran todos distintos.*

12. SOLUCIÓN AL PROBLEMA DE MONTY HALL

En principio, cuando el participante hace su primera elección, tiene una chance de acertar entre tres. O sea, la probabilidad de que se quede con el automóvil es un tercio. Aunque parezca redundante, este hecho es importante: el finalista tiene una chance para acertar entre tres, *y dos* de errar.

¿Qué preferirían ustedes en este caso? ¿Tener dos puertas o una sola? Claramente, uno elegiría tener dos y no una. Eso significa que, al elegir una, se está en desventaja con respecto a las otras dos. Y por eso, si hubiera otro participante y a él lo dejaran elegir dos, ustedes sentirían que quedaron en inferioridad de condiciones. Es más: siguiendo con esta idea, es seguro que si hubiera otro participante que se quedó con dos puertas para él, en una de ellas habría un chivo. Por eso, no es una sorpresa que el conductor del programa abra una de las que le correspondió a él y allí no estuviera el automóvil.

En eso, justamente, radica la idea del problema. Es preferible *tener* dos puertas, que tener una sola. Y por eso, cuando a uno le dan la chance de cambiar, *debe cambiar inmediatamente* porque aumenta uno las chances de acertar al doble, nada menos. Es que uno no puede ignorar que el problema empieza con las tres puertas *y uno elige una de las tres.*

Ahora, para convencerse aún más (si es que todavía le hace falta), veamos exhaustivamente *todas las posibilidades.*

Éstas son las tres posibles configuraciones:

	Puerta 1	Puerta 2	Puerta 3
Posición 1	Automóvil	Chivo	Chivo
Posición 2	Chivo	Automóvil	Chivo
Posición 3	Chivo	Chivo	Automóvil

Supongamos que tenemos la posición 1.

POSIBILIDAD 1: Ustedes eligen la puerta 1. El conductor abre la 2.
Si ustedes cambian, PIERDEN.
Si ustedes se quedan, GANAN.
Es obvio que si el conductor hubiera abierto la puerta 3, el
resultado sería el mismo.

POSIBILIDAD 2: Ustedes eligen la puerta 2. El conductor abre la 3.
Si ustedes cambian, GANAN.
Si ustedes se quedan, PIERDEN.

POSIBILIDAD 3: Ustedes eligen la puerta 3. El conductor abre la 2.
Si ustedes cambian, GANAN.
Si ustedes se quedan, PIERDEN.

En resumen, ustedes GANAN en dos de las veces si cambian
y sólo GANAN una vez si se quedan. Es decir, GANAN en el doble de
las veces si cambian. Esto que parece "anti-intuitivo" o que "atenta contra la intuición", debería convencerlos. Pero si aún no es así,
les sugiero que se sienten un rato con un lápiz.
En todo caso, otra manera de pensarlo es la siguiente: supongamos que en lugar de haber tres puertas, hubiera un millón
de puertas y les dan a elegir una sola (como antes). Por supuesto, como antes, sólo detrás de una hay un automóvil. Para hacerlo aún más evidente, supongamos que hay dos competidores: uno
de ustedes y otro. A uno le dan a elegir una sola puerta y, al otro,
le dan las 999.999 restantes. No hace falta que le pregunte si a
usted no le gustaría tener la chance de ser el otro, ya que la respuesta sería obvia. El *otro* tiene 999.999 más posibilidades de ganar. Ahora supongamos que una vez elegida una puerta, el conductor del programa *abre* 999.998 de las puertas del *otro* en donde
él sabe que *no está* el automóvil y le da la chance ahora de ele-

gir de nuevo: ¿se queda con la que eligió en principio o elige la
que tiene *el otro*? Creo que ahora se entiende mejor (espero) que
es conveniente cambiar. En todo caso, los invito a que piensen
lo que sería tener que fabricar la tablita que aparece adjunta, pero en lugar de hacerla con tres puertas hacerla con un millón.

13. SOLUCIÓN AL PROBLEMA DE LA TAPA DE LAS "BOCAS DE TORMENTA"

Como estas tapas son de metal (hierro) muy pesado y son
muy gruesas, si cupiera la posibilidad de que "cayeran" en el mismo pozo que están tapando, podrían obviamente lastimar grave-
mente a un humano. La única "forma geométrica regular" que im-
pide que la tapa "caiga" esté en la posición en que esté, es que
la tapa sea redonda. Por ejemplo, si fuera cuadrada, uno podría
rotarla hasta ponerla en diagonal y en ese caso, caería fácilmente por el agujero. En consecuencia la respuesta es que son redondas por razones de seguridad y simplicidad.

14. SOLUCIÓN AL PROBLEMA DEL ACERTIJO DE EINSTEIN

Mi idea fue numerarlos:

1	2	3	4	5	Rojo
1	2	3	4	5	Azul
1	2	3	4	5	Verde
1	2	3	4	5	Amarillo
1	2	3	4	5	Blanco
1	2	3	4	5	Perro
1	2	3	4	5	Gato
1	2	3	4	5	Pájaro
1	2	3	4	5	Caballo
1	2	3	4	5	Pescado
1	2	3	4	5	Pall Mall
1	2	3	4	5	Blends
1	2	3	4	5	Dunhill

1	2	3	4	5	Prince
1	2	3	4	5	Bluemaster
1	2	3	4	5	Cerveza
1	2	3	4	5	Agua
1	2	3	4	5	Leche
1	2	3	4	5	Té
1	2	3	4	5	Café

Así se puede pasar cada condición a números. Por ejemplo: como el danés toma té, no puede vivir en el centro (porque en la casa del centro se toma agua). Eso significa que hay que tachar el número 3 en donde está el danés (porque la casa 3 es la del centro). Como el alemán fuma Prince, eso significa que el noruego es distinto de Prince (no pueden fumar lo mismo el noruego y el alemán).

Como amarillo = Dunhill y azul = 2 entonces, azul es distinto de Dunhill, o sea Dunhill no puede ser 2 (y hay que tacharlo). Como Bluemaster = cerveza, entonces Bluemaster es distinto de 3. Como verde = café, entonces verde distinto de 3. Como noruego = 1 y azul = noruego + 1 = 2, y además británico = rojo, entonces británico es distinto de 2. Como británico = rojo y hemos visto que británico no puede ser ni 1 ni 2, entonces rojo no puede ser 1, ni rojo puede ser 2. Como sueco = perro y sueco distinto de 1, entonces perro distinto de 1. Como danés = té y danés es distinto de 1, entonces té es distinto de 1. Como verde = café y verde no puede ser ni 2 ni 3 ni 5, entonces café no puede ser ni 2 ni 3 ni 5. Como noruego = 1 y azul = noruego + 1 entonces, azul = 2. Como blends = agua + o − 1, y agua no puede ser 3, entonces:

a) si agua = 1, entonces blends = 2
b) si agua = 2, entonces blends = 1 o 3
c) si agua = 4, entonces blends = 5 o 3
d) si agua = 5, entonces blends = 4

Por otro lado se sabe que:
verde es menor que blanco
verde = café
pall mall = pájaro
bluemaster = cerveza
blends = agua + o = 1

```
rojo = británico
sueco = perro
danés = té
blends = gato + o - 1
caballo = dunhill + o -1
alemán = prince
amarillo = dunhill
```

Puse todas estas condiciones en las tablitas que están más arriba, de manera tal de equiparar. Por ejemplo:

británico = rojo (por lo tanto, la línea del británico tiene que ser igual a la del rojo. Si hay algo que uno no puede ser, entonces el otro tampoco, y viceversa).

De un análisis surge, que verde puede ser 4 o 1. Pero si verde es = 4, como verde es menor que blanco, esto obliga a que blanco = 5... y de aquí, surge que rojo = 3 y amarillo = 1... con lo cual queda la siguiente situación (que es la que va a terminar siendo correcta):

```
amarillo = 1
azul = 2
rojo = 3
verde = 4
blanco = 5
```

De otro análisis, surge que Bluemaster puede ser 2 o 5. Si Bluemaster es 2, como Bluemaster = cerveza, entonces cerveza = 2, té = 5 y agua = 1 pero la hipótesis 15 obliga a que Blends = agua + 1, por lo que Blends = 2.

Luego, Bluemaster = 5, cerveza = 5, té = 2. Todo esto obliga a que Prince = 4 y esto implica que Pall Mall = 3 pero entonces Pall mall = 3, obliga a pájaro = 3 y entonces caballo = 2 y por lo tanto sueco = 5. Desde aquí, se desencadenaba todo. Hasta dar con el resultado final:

Casa 1	Casa 2	Casa 3	Casa 4	Casa 5
Amarillo	Azul	Rojo	Verde	Blanco
Gato	Caballo	Pájaro	PESCADO	Perro
Noruego	Danés	Británico	Alemán	Sueco
Dunhill	Blends	Pall Mall	Prince	Bluemaster
Agua	Té	Leche	Café	Cerveza

15. SOLUCIÓN AL PROBLEMA DE LAS VELAS

Se toma una vela y se la enciende *de los dos extremos*. Al mismo tiempo, se enciende la otra vela.

Cuando la primera se terminó de consumir, pasó media hora. Eso quiere decir que queda también exactamente media hora hasta que la segunda vela termine de consumirse. En ese momento, se prende el otro extremo de la segunda vela.

En el instante en que se termina de consumir esta segunda vela, se cumplen exactamente quince minutos desde que empezó el proceso.

16. SOLUCIÓN AL PROBLEMA DE LOS SOMBREROS (1)

¿Cómo hizo C para poder contestar que tenía un sombrero blanco? Lo que hizo C es pensar en silencio lo siguiente. Supuso que él tenía un sombrero de color negro. Y entonces, con el razonamiento que voy a escribir ahora, se dio cuenta de que si él tuviera un sombrero de color negro, o bien A o bien B *debieron haber contestado antes que él el color del sombrero*. Y como no lo hicieron, es porque el sombrero que él *tiene* que tener es blanco.

Su línea de razonamiento fue la siguiente: "si yo tengo un sombrero negro, ¿qué pasó antes? A no pudo contestar. Claro, A no pudo contestar, porque al ver que B tenía un sombrero blanco no importaba que yo (C) tuviera uno negro. Él (A) no podía deducir nada de esta información. Pero... ¡pero B sí! Porque B, al ver que A no podía contestar, porque estaba viendo que B tenía un sombrero blanco, porque si no, si A hubiera visto que *ambos tenían sombreros negros,* hubiera dicho que él tenía uno blanco. Y no lo hizo. Por lo tanto, A tenía que haber visto que B tenía uno blanco. Pero B ¡tampoco contestó! Tampoco él pudo contestar". Lo cual significaba que B estaba viendo que C no podía tener un sombrero negro.

Conclusión: si C hubiera tenido un sombrero negro, A o bien B hubieran tenido que *poder contestar antes*. Ninguno de los dos pudo hacerlo, los dos tuvieron que pasar, porque C tenía un sombrero blanco.

17. SOLUCIÓN AL PROBLEMA DE LOS SOMBREROS (2)

¿Cómo hacer para mejorar la estrategia del 50%?

Lo que uno hace es lo siguiente. ¿Cuáles son las posibilidades de distribución de los sombreros? Pongamos en columnas los ocho casos (*hagan la cuenta para convencerse de que hay sólo ocho posibles alternativas*):

A	B	C	
blanco	blanco	blanco	
blanco	blanco	negro	
blanco	negro	blanco	
blanco	negro	negro	(*)
negro	blanco	blanco	
negro	blanco	negro	
negro	negro	blanco	
negro	negro	negro	

La estrategia que establecen los tres es la siguiente: "cuando el director nos pregunte a uno de nosotros el color de sombrero, miramos los colores de sombrero de los otros dos. Si son iguales entre sí, elegimos el contrario. Si son distintos, pasamos".

Veamos qué pasa con esta estrategia. Para eso, los invito a que analicemos la tabla que figura en (*).

	A	B	C	
1)	blanco	blanco	blanco	
2)	blanco	blanco	negro	
3)	blanco	negro	blanco	
4)	blanco	negro	negro	(*)
5)	negro	blanco	blanco	
6)	negro	blanco	negro	
7)	negro	negro	blanco	
8)	negro	negro	negro	

Veamos en cuáles de las ocho posibilidades la respuesta garantiza la libertad (es decir, una correcta por lo menos y *ninguna incorrecta*). En el caso (1), A, al ver dos sombreros de igual color (blanco en este caso), dice negro. Y pierden. Este caso es *perdedor*. En el caso (2), A, al ver colores distintos, pasa. B, al ver distintos, pasa también. Pero C, como ve que A y B tienen sombreros blancos, dice *negro y ganan*. Este caso es *ganador*. En el caso (3), A, al ver colores distintos, pasa. B ve dos colores iguales (blancos para A y C), entonces elige el contrario y *gana*. Este caso es *ganador*. En el caso (4), A, al ver sombreros de igual color (negro y negro), elige el contrario y *gana también*. Este caso es *ganador*.

Ahora, creo que puedo ir más rápido: en el caso (5), A *gana* porque dice negro y los otros dos *pasan*. Este caso es *ganador*. El caso (6), A *pasa*, pero B dice blanco (al ver que A y C tienen negro. Y este caso es *ganador también*.

En el caso (7), A *pasa*, B *pasa también* y C dice blanco y *gana*, ya que tanto A como B tienen el mismo color. Este caso es *ganador*. Por último, el caso (8): A *pierde*, porque ve que B y C tienen el mismo color de sombrero (negro) y él elige el contrario, blanco, *y pierde*. Este caso es *perdedor*.

Si uno mira la cuenta, de los ocho casos posibles, la estrategia permite *acertar en seis casos*. Luego, la probabilidad de éxito es de 3/4, o sea, de un 75%, que, claramente, mejora la estrategia inicial.

18. SOLUCIÓN AL PROBLEMA DEL MENSAJE INTERPLANETARIO

K	Representa	+ (suma)
L	"	= (igualdad)
M	"	- (resta)
N	"	0 (cero)
P	"	x (producto)
Q	"	÷ (división)
R	"	elevar a... (potencia)
S	"	100 (cien)
T	"	1.000 (mil)
U	"	0,1 (un décimo)
V	"	0,01 (un centésimo)
W	Representa	, (coma o decimal)
Y	"	aproximadamente igual
Z	"	π
A	"	número 1
B	"	número 2
C	"	número 3

D	"	número 4
E	"	número 5
F	"	número 6
G	"	número 7
H	"	número 8
I	"	número 9
J	"	número 10

MENSAJE: $(4/3) \pi (0,0092)^3$

En este caso, el mensaje está escrito en un código que sólo asume del ser que lo va a leer que es lo suficientemente "inteligente" como para entender la lógica subyacente. Es decir: no hace falta que quien lo lea sepa ninguna letra, ningún número, ni ningún símbolo. Fueron usados para escribir el mensaje por comodidad de quien lo hizo, pero podría haber utilizado cualquier otra simbología.

Una vez aclarado esto, el mensaje dice:

$$(4/3) \pi (0,0092) \, 3$$

Aquí lo que hay que agregar es que el volumen de una esfera es $(4/3)\pi r^3$, donde r es el radio de la esfera. Y la validez de esta fórmula es independiente de quien sea el que lo lea. Además se usa la constante π, o pi, cuyo valor tampoco depende de la escritura, sino que es una constante que resulta del cociente entre el perímetro de una circunferencia y su diámetro.

Ahora bien: ¿qué es 0,0092?

El objetivo del mensaje es advertirle a quien lo lea que fue enviado desde la Tierra. ¿Cómo decírselo? La Tierra tiene un diámetro de aproximadamente 12.750 kilómetros. Pero ni bien apareciera este número (sea en millas o su equivalente en kilómetros) se plantea un problema, porque quien lo lee no tiene la convención incorporada de lo que es una milla o un kilómetro o lo que fuere. Había que decirle algo que no utilizara ninguna medida. ¿Cómo hacer?

Entonces, piensen que si alguien quiere comentarle a otro ser el diámetro de la Tierra o el del Sol, necesita utilizar alguna unidad de medida. En cambio, si sólo le importa hablarle de la relación que hay entre ambos, basta con decirle cuál es el cociente entre ambos. Y *este número sí que es constante,* independientemente de la unidad que se use para medirlo.

Justamente, eso es lo que hace el mensaje: Tomar el diámetro de la Tierra y dividirlo por el diámetro del Sol (1.392.000 kilómetros) (todos los datos son aproximados, obviamente). Ese cociente es aproximadamente 0,0092, que es el número que aparece en el mensaje (en realidad, el cociente es 0,00911034...).

Por otro lado, si uno hace el cociente de los diámetros de todos los otros planetas con el diámetro del Sol, *el único número que da parecido a ése* es el de la Tierra. De esa forma, el mensaje es claro: ¡Le está diciendo que lo mandamos desde aquí!

19. SOLUCIÓN AL PROBLEMA DEL NÚMERO QUE FALTA (EN LOS TESTS DE INTELIGENCIA)

El número que falta es el 215. Miren los números que hay en la primera fila en la primera y tercera columna: 54 y 36. La suma de los dos exteriores (5 + 6) = 11. La suma de los dos interiores (4 + 3) = 7.

De esa forma, se obtuvo el número 117: juntando la suma de los dos exteriores con la de los dos interiores.

Pasemos a la siguiente fila y hagamos el mismo ejercicio. Los dos números de la primera y tercera columna son: 72 y 28. Sumando los dos exteriores (7 + 8) = 15 y sumando los dos interiores (2 + 2) = 4. Luego, el número que va en el centro es 154.

Si uno sigue en la tercera fila, tiene 39 y 42. La suma de los dos exteriores (3 + 2) = 5 y los dos internos (9 + 4) = 13. Por lo tanto, el número que va en el centro es 513.

Por último, con este patrón, dados los números 18 y 71, los dos exteriores suman (1 + 1) = 2. Y los dos centrales (8 + 7) = 15. Corolario: el número que falta es 215.

1	33	65	97	129	161	193	225
3	35	67	99	131	163	195	227
5	37	69	101	133	165	197	229
7	39	71	103	135	167	199	231
9	41	73	105	137	169	201	233
11	43	75	107	139	171	203	235
13	45	77	109	141	173	205	237
15	47	79	111	143	175	207	239
17	49	81	113	145	177	209	241
19	51	83	115	147	179	211	243
21	53	85	117	149	181	213	245
23	55	87	119	151	183	215	247
25	57	89	121	153	185	217	249
27	59	91	123	155	187	219	251
29	61	93	125	157	189	221	253
31	63	95	127	159	191	223	255

* Las columnas continúan en las páginas siguientes.

2	34	66	98	130	162	194	226
3	35	67	99	131	163	195	227
6	38	70	102	134	166	198	230
7	39	71	103	135	167	199	231
10	42	74	106	138	170	202	234
11	43	75	107	139	171	203	235
14	46	78	110	142	174	206	238
15	47	79	111	143	175	207	239
18	50	82	114	146	178	210	242
19	51	83	115	147	179	211	243
22	54	86	118	150	182	214	246
23	55	87	119	151	183	215	247
26	58	90	122	154	186	218	250
27	59	91	123	155	187	219	251
30	62	94	126	158	190	222	254
31	63	95	127	159	191	223	255

4	36	68	100	132	164	196	228
5	37	69	101	133	165	197	229
6	38	70	102	134	166	198	230
7	39	71	103	135	167	199	231
12	44	76	108	140	172	204	236
13	45	77	109	141	173	205	237
14	46	78	110	142	174	206	238
15	47	79	111	143	175	207	239
20	52	84	116	148	180	212	244
21	53	85	117	149	181	213	245
22	54	86	118	150	182	214	246
23	55	87	119	151	183	215	247
28	60	92	124	156	188	220	252
29	61	93	125	157	189	221	253
30	62	94	126	158	190	222	254
31	63	95	127	159	191	223	255

8	40	72	104	136	168	200	228
9	41	73	105	137	169	201	233
10	42	74	106	138	170	202	234
11	43	75	107	139	171	203	235
12	44	76	108	140	172	204	236
13	45	77	109	141	173	205	237
14	46	78	110	142	174	206	238
15	47	79	111	143	175	207	239
24	56	88	120	152	184	216	248
25	57	89	121	153	185	217	249
26	58	90	122	154	186	218	250
27	59	91	123	155	187	219	251
28	60	92	124	156	188	220	252
29	61	93	125	157	189	221	253
30	62	94	126	158	190	222	254
31	63	95	127	159	191	223	255

16	48	80	112	144	176	208	240
17	49	81	113	145	177	209	241
18	50	82	114	146	178	210	242
19	51	83	115	147	179	211	243
20	52	84	116	148	180	212	244
21	53	85	117	149	181	213	245
22	54	86	118	150	182	214	246
23	55	87	119	151	183	215	247
24	56	88	120	152	184	216	248
25	57	89	121	153	185	217	249
26	58	90	122	154	186	218	250
27	59	91	123	155	187	219	251
28	60	92	124	156	188	220	252
29	61	93	125	157	189	221	253
30	62	94	126	158	190	222	254
31	63	95	127	159	191	223	255

32	48	96	112	160	176	224	240
33	49	97	113	161	177	225	241
34	50	98	114	162	178	226	242
35	51	99	115	163	179	227	243
36	52	100	116	164	180	228	244
37	53	101	117	165	181	229	245
38	54	102	118	166	182	230	246
39	55	103	119	167	183	231	247
40	56	104	120	168	184	232	248
41	57	105	121	169	185	233	249
42	58	106	122	170	186	234	250
43	59	107	123	171	187	235	251
44	60	108	124	172	188	236	252
45	61	109	125	173	189	237	253
46	62	110	126	174	190	238	254
47	63	111	127	175	191	239	255

64	80	96	112	192	208	224	240
65	81	97	113	193	209	225	241
66	82	98	114	194	210	226	242
67	83	99	115	195	211	227	243
68	84	100	116	196	212	228	244
69	85	101	117	197	213	229	245
70	86	102	118	198	214	230	246
71	87	103	119	199	215	231	247
72	88	104	120	200	216	232	248
73	89	105	121	201	217	233	249
74	90	106	122	202	218	234	250
75	91	107	123	203	219	235	251
76	92	108	124	204	220	236	252
77	93	109	125	205	221	237	253
78	94	110	126	206	222	238	254
79	95	111	127	207	223	239	255

128	144	160	176	192	208	224	240
129	145	161	177	193	209	225	241
130	146	162	178	194	210	226	242
131	147	163	179	195	211	227	243
132	148	164	180	196	212	228	244
133	149	165	181	197	213	229	245
134	150	166	182	198	214	230	246
135	151	167	183	199	215	231	247
136	152	168	184	200	216	232	248
137	153	169	185	201	217	233	249
138	154	170	186	202	218	234	250
139	155	171	187	203	219	235	251
140	156	172	188	204	220	236	252
141	157	173	189	205	221	237	253
142	158	174	190	206	222	238	254
143	159	175	191	207	223	239	255

Colección "Ciencia que ladra..."
Otros títulos publicados

El desafío del cangrejo
Avances en el conocimiento, prevención y tratamiento del cáncer
DE DANIEL F. ALONSO

El cocinero científico
Cuando la ciencia se mete en la cocina
DE DIEGO A. GOLOMBEK Y PABLO J. SCHWARZBAUM

Un mundo de hormigas,
DE PATRICIA J. FOLGARAIT Y ALEJANDRO G. FARJI-BRENER

**Plantas, bacterias, hongos, mi mujer,
el cocinero y su amante**
Sobre interacciones biológicas, los ciclos de los elementos
y otras historias
DE LUIS G. WALL

Guerra biológica y bioterrorismo,
DE MARTÍN LEMA

El huevo y la gallina
Manual de instrucciones para construir un animal
DE GABRIEL GELLON

Ahí viene la plaga
Virus emergentes, epidemias y pandemias
DE MARIO LOZANO

Una tumba para los Romanov
Y otras historias con ADN
DE RAÚL A. ALZOGARAY

El mejor amigo de la ciencia
Historias con perros y científicos
DE MARTÍN DE AMBROSIO

El mar
Hizo falta tanta agua para disolver tanta sal
DE JAVIER CALCAGNO Y GUSTAVO LOVRICH

Cielito lindo
Astronomía a simple vista
DE ELSA ROSENVASSER FEHER

La Matemática
como una de las Bellas Artes
DE PABLO AMSTER

Demoliendo *papers*
La trastienda de las publicaciones científicas
COMPILADO POR DIEGO GOLOMBEK